온리 런던

Only London

온리 런던(컬러판)

발　행 | 2024년 04월 17일
저　자 | 재미리
펴낸이 | 한건희
펴낸곳 | 주식회사 부크크
출판사등록 | 2014.07.15.(제2014-16호)
주　소 | 서울특별시 금천구 가산디지털1로 119 SK트윈타워 A동 305호
전　화 | 1670-8316
이메일 | info@bookk.co.kr

ISBN | 979-11-410-8166-9

온리 런던
Only London

차례

1. 런던 소개
01 영국&런던 개요

〈영국 개요〉

- 국명

영국(英國)은 그레이트 브리튼 섬의 잉글랜드, 스코틀랜드, 웨일스, 아일랜드 섬의 북아일랜드로 이루어진 연합왕국이다. 엘리자베스 2세 여왕을 상징적인 국가 원수로 하고 실질적인 행정은 수상이 하는 입헌군주국이다. 정식 국명은 그레이트브리튼 북아일랜드 연합왕국(United Kingdom of Great Britain and Northern Ireland)이고 줄여서 유나이티드 킹덤(United Kingdom) 또는 유케이(UK)라고 한다.

- 역사
• 선사시대

선사시대 영국 남부 솔즈베리 사람들이 스톤헨지와 에이브버리에 거석 기념물을 세웠다. 이후 청동기 시대부터 청기 시대 초기까지 대륙에서 켈트족이 도래해 정착했다. 이들은 밀, 보리, 귀리 등을 재배했고 딘 또는 둔이라는 장벽을 만들어 외부 침입에 대비했다. 런던이란 지명은 소택지의 성을 뜻하는 켈트어 린딘(Lyndyn)이 로마 시대에 론디니움(Londinium)으로 바뀌며 유래됐다.

• 영국의 로마 시대

기원전 55년과 54년 로마의 율리우스 카이사르가 프랑스 갈리아를 지원하는 영국 브리튼 섬을 공격해 템스강 주변까지 정복한 뒤 물러났다. 기원후 43년 로마의 클라우디우스가 다시 원정을 왔고 80년대 스코틀랜드까지 공격했다. 로마는 잉글랜드의 요크 부근까지 점령한 후 약 4세기 동안 통치하였다. 이때 로마가 병영지(~ster, 성)로 조성한 도시들이 맨체스터(Manchester), 체스터(Chester), 레스터(Leicester) 등이다. 이 무렵 조성된 로마의 온천 도시가 잉글랜드 남부의 바스이다.

• 앵글로색슨 시대

4세기 후반 북방 켈트족, 게르만족의 침략으로 로마의 영국 지배가 위협받았고 5세기 대륙에서 게르만족의 남하로 로마가 위협받자 로마군이 영국에서 철수했다. 6세기 말 게르만족 중 앵글족, 색슨족, 주트족이 잉글랜드 일대를 차지하여 켄트·에식스·서식스·이스트앵글리어·마시어·웨식스·노섬브리어 등 7개 왕국을 세웠다. 로마 시대 도입된 기독교는 다신교를 숭배하던 게르만족 침략 시 쇠퇴했다가 597년 아우구스티누스에 의해 캔터베리에 다시 도입되었다. 이무렵 게르만이 조성한 도시들이 Heim(집), Staad(도시) 어원의 버밍엄(Birmingham), 햄스테드(Hampstead), 사우샘프턴(Southampton) 등.

9세기 초 에식스 왕 에그버트가 7 왕국을 잉글랜드로 통일하였으나 9세기 중반부터 북방 데인인이 침략해 왔다. 10세기 말 대대적인 데인의 침략으로 11세기 데인의 카누트가 에식스의 왕 에셀레드를 프랑스 노르망디로 쫓아내고 잉글랜드의 왕이 되었다.

• 노르만 시대
데인의 카누트 사후 2대에 걸친 데인 왕조는 에셀레드의 아들 참회왕 에드워드가 노르망디에서 돌아오며 끝났다. 1066년 에드워드 동생 해럴드 2세가 왕위에 오르자 노르망디 공 기욤이 왕위계승권을 주장하며 침략, 헤이스팅스 전투에서 해럴드 2세를 죽이고 정복왕 윌리엄 1세가 된다. 윌리엄 1세는 토지대장인 둠즈데이북을 기초로 재정을 정비해 대륙의 노르만식 봉건제 시행하고 교황 그레고리우스와 대립해 교회에 대한 국왕의 권리권, 주 법정과 교회 법정의 분리 등 왕권 신장에 힘썼다. 윌리엄 1세 사후 왕위는 헨리 1세를 거쳐, 프랑스 앙주 귀족에 뿌리를 둔 헨리 2세로 왕권이 넘어가 플랜태저넷(앙주) 왕조를 열었다.

이후 리처드 1세에 이어 왕위를 계승한 실지왕 존은 실정을 거듭한 끝에 1215년 귀족들이 제시한 **마그나 카르타(대헌장)**로 인해 서명, 왕권을 제한당했다. 존의 아들 헨리 3세 역시 실정으로 왕과 귀족들이 대립했고 여기에 시민 대표까지 회의에 참여함으로써 영국 의회의 시초가 되었다. 에드워드 3세 때 주와 도시대표의 청원을 귀족과 고위성직자가 심의하여 상하원제의 기초가 되었고 잃어버린 대륙령(노르망디) 대신 웨일즈와 스코틀랜드를 잉글랜드에 편입시키려 하였다.

• 백년전쟁과 장미전쟁
에드워드 3세가 프랑스 카페 왕조 샤를 4세 사후 같은 혈통임을 내세워 프랑스 왕위를 요구하면서 1337~1453년 백년전쟁이 벌어졌다. 한때 영국군이 프랑스 대부분을 점령하기도 했으나 헨리 6세 때 오를레앙 전투에 패한 뒤 카레를 제외한 대부분을 잃었다. 이후

1455~1485년 에드워드 3세의 셋째 아들 헨리 4세의 랭커스터파(붉은 장미 문양)와 에드워드 3세의 막내아들 리처드의 요크파(흰 장미 문양) 간의 장미 전쟁이 벌어졌다. 요크파의 승리로 에드워드 4세가 요크 왕조를 열었고 어린 나이의 에드워드 5세가 왕위를 이었으나 에드워드 4세의 동생 리처드가 왕과 그 동생을 런던탑에 가두고 왕위를 찬탈해 리처드 3세가 되었다. 리처드 3세는 랭커스터파의 헨리에게 패하고 헨리가 헨리 7세로 튜더 왕조를 열었다. 이 무렵부터 노르만 봉건체제의 억압에서 벗어나 앵글로색슨적인 자유가 조금씩 신장하였다.

1348~49년 흑사병으로 인구의 1/4 이상이 사망하여 영주와 농민 간에 부족해진 노동력에 대한 갈등이 터져 나왔고 이로 인해 영주의 장원이 붕괴하였다. 14세기 상인 집단 길드에 의한 양모 무역이 발달하였고 15세기 상인 회사가 등장해 모직물 독점권을 가지게 되었다.

• 절대왕정과 청교도 혁명, 명예혁명
헨리 7세는 귀족 권리와 재판권을 박탈하고 토호와 시민을 추밀원에 등용해 절대왕권을 수립하였고 헨리 8세는 왕비 캐서린과의 이혼을 빌미로 1534년 가톨릭과 결별하고 직접 교회의 수장(국교회)이 되었다. 이런 조치는 에드워드 6세와 메리 1세 때 동요가 있었으나 1559년 엘리자베스 1세가 통일령을 발포하여 국교회 체제를 강화하였다. 엘리자베스 1세는 에스파냐의 무적함대를 격파하고 해외 식민 사업 추진과 러시아회사, 동인도회사의 독점권 보장 등 중상주의로 절대왕권을 강화했다. 엘리자베스 1세 사후 스코틀랜드 왕 제임스가 잉글랜드 왕을 겸해 제임스 1세로 스튜어트 왕조를 열었다. 이 무렵 왕권신수설을 신봉한 제임스 1세는 칼뱅파 청교도가 많은 의회와의 마찰을 빚었고 찰스 1세 때 더욱 대립이 심해졌다. 1628년 찰스 1세는 공채와 조세의 의회 승인, 무고한 시민 불체포 등을 담은 **권리청원**이 통과되자 의회를 해산하였다.

1642년 왕과 의회와의 갈등으로 왕당파와 의회파의 전쟁이 벌어지고 1647년 의회파의 승리로 끝났으나 의회파는 온건주의 장로파와 급진주의 독립파 및 평등파로 분열하였다. 왕이 장로파와 왕당파를 모아 다시 전쟁을 일으켰으나 독립파와 평등파의 승리로 찰스 1세가 처형되고 올리버 크롬웰을 수장으로 한 공화정이 선포되었다. 이를 청교도 혁명이라 하는데 크롬웰은 엄격한 종교 정책과 군사독재로 국민의 불만을 샀다.

1660년 크롬웰이 죽자 의회는 선왕의 아들 찰스 2세를 불러 신교의 자유,

마그나 카르타와 권리청원을 존중하는 브레다 선언 하의 왕정을 복구시켰다. 찰스 2세 때 가톨릭교도인 제임스 2세의 왕위계승권으로 휘그파와 토리파의 대립이 있었고 찰스 2세 사후 제임스 2세가 절대왕정을 강화하자 1688년 제임스 2세 때 휘그와 토리의 합의로 제임스의 딸 메리를 여왕에 올리자 제임스 2세가 프랑스로 망명했다. 이를 **명예혁명**이라 한다. 이는 의회 내에 국왕이 있다는 의미로 1689년 왕권이 의회의 승인을 받아야 하는 **권리장전**이 통과됐다. **마그나 카르타, 권리청원, 권리장전**은 시민혁명의 일환으로 오늘날 입헌군주제의 근간이 된다.

• **산업혁명과 대청원 운동**
윌리엄 3세는 프랑스 망명 제임스의 복귀 시도로 1690~1697년 프랑스와 전쟁을 벌였다. 부족한 전비 마련으로 인해 1694년 잉글랜드 은행이 설립되었고 에스파냐 계승 전쟁에 개입해 아메리카의 뉴펀들랜드, 지중해 지브롤터 같은 해외 식민지를 획득했다. 이 무렵 잉글랜드는 스코틀랜드와 합쳐 그레이트브리튼 왕국이 되었다. 1760~1820년의 조지 3세 때 산업혁명이 일어나 방적기, 증기기관이 개발되고 철도가 놓이며 영국 산업자본주의가 발전했으나 노동자와 시민의 권리는 침해당했다. 1830년대와 1840년대 **매년 선거**

· **비밀투표** · **보통선거**를 내세운 대청원 운동이 벌어져 1867년과 1884년 선거법이 개정되고 시민과 노동자에게 참정권이 부여됐다. 19세기 말 근대화 정책이 시행되고 영국 제국주의로 발전, 대영제국이 탄생했다.

• **대영제국의 붕괴**
1873년 독일과 미국 등 후발주자의 세계 시장 진출 여파로 공황과 불황이 일어났고 수출 감소와 실업자가 늘어나자 노동자 권익을 위한 노동자 선거위원회(노동당)가 만들어졌다.
1914~1918년 독일의 팽창정책으로 제1차 세계 대전이 벌어졌고 미국의 참전으로 영국과 연합군이 승리를 거뒀다. 이때부터 미국과 해외 자치령의 지위가 상승하고 영국의 지위가 하락해 영국은 대영제국으로써의 지위가 붕괴했다. 1929년 세계공황이 일어나고 1930년대 독일에서 나치스 정권이 집권을 잡으며 1939~1945년 제2차 세계 대전이 벌어졌으나 미국의 참전으로 영국과 연합군이 승리를 거둔다. 이후 영국은 미국과 소련의 비약적인 발전, 프랑스를 중심으로 한 유럽공동시장의 성장으로 침체를 겪는다.

• **대처의 개혁과 브렉시트**
1979년부터 12년간 집권한 대처 총리의 개혁으로 영국은 1980년대 침체를 벗고 성장의 길로 돌아섰으나 과도한 시장경제의 도입으로 경제 불평등이 심화하기도 했다. 1990년대 영국은 유럽연합(EU)의 유럽 단일시장에 참가하지만, 단일통화나 유럽정치 통일에 반대해 혼란을 가져왔다. 2012년 유럽연합의 재정 위기가 심화하고 2015년부터 유럽 내 난민 유입이 문제가 되자 2016년 영국이 국민투표를 통해 유럽연합에서 탈퇴하는 브렉시트를 결정해 오늘에 이른다.

– 국토와 인구, 런던의 행정 구역

영국의 면적은 그레이트 브리튼 섬과 북아일랜드 합쳐 243,610㎢로 남북한 면적(22만㎢)과 비슷하고 인구는 약 6천7백만 명이다. 영국의 수도인 런던의 면적은 1,572㎢로 서울 면적(605㎢)의 약 2.6배이고 인구는 8백8십만 명이다.

런던의 행정 구역은 시티오브런던, 시티오브웨스트민스터, 킹스턴&첼시, 해머스미스&풀함, 완즈워스, 램버트, 서더크, 타워 햄릿, 해크니, 이링턴, 캠덴, 리치몬드 어펀 템스, 그리니치 등 32개 행정구로 나뉘어 있다. 행정 구역 상위 10번까지 런던 시내이자 지하철 1~2 존(Zone)이고 나머지는 시내 외곽으로 3~6 존에 해당한다.

– 기후와 날씨

영국은 서안해양성 기후로 여름에 선선하고 겨울에 따뜻하다. 런던은 12~2월 평균 최고/최저 기온 8.4℃/3.1℃, 평균 강수량은 42.1mm, 3~5월 평균 최고/최저 기온 14.8℃/6.5℃, 평균 강수량 41.8mm, 6~8월 평균 최고/최저 기온 22.5℃/13.1℃, 평균 강수량 45.4mm, 9~11월 평균 최고/최저 기온 15.6℃/8.7℃, 평균 강수량 55.7mm이다. 평균 기온과 평균 강수량으로 **여행 가기 좋은 시기는 3~5월**, 6~8월도 괜찮으나 기온 표시와 달리 햇볕이 따가울 수 있고 9~11월은 비가 조금 오지만 다닐만하다.

날씨_www.accuweather.com

일출과 일몰 시각_

11월 07:14/**16:15**, 12월 **08:00/15:50**, 1월 **08:00/16:15**, 2월 07:30/17:00, 3월 06:15/18:05, 4월 06:00/**20:00**, 5월 05:00/21:00, 6월 04:43/21:21, 7월 05:00/21:00, 8월 05:45/20:25, 9월 06:30/07:24, 10월 07:25/06:05

일출과 일몰 시각으로 **여행 가기 좋은 시기는 4~8월**, 다음으로 3월과 9~10월도 괜찮다. 평균 기온과 일출·일몰 시각으로 여행 가기 나쁜 시기는 11~1월인데 하늘이 종일 꾸물거리고 바람이 불며 비가 내리고 해가 늦게 뜨고 일찍 져서 다니기 불편하다.

일출·일몰_www.sunrisesunset.com

- 시차

영국은 그리니치 표준시(G.M.T) +0으로 한국보다 8시간 느리다. 한국에서 런던으로 갈 때 시계를 8시간 뒤로 돌리고 런던에서 한국으로 올 때 시계를 8시간 앞으로 돌린다. 예) 한국 오전 12시 일 때 런던 새벽 3시. ※4~10월 서머타임 실시 때에는 9시간 느림.

- 언어

영국식 영어 사용! 런던에 세계 각국에서 온 관광객이 많아 주요 관광지, 레스토랑, 상점 등에서 서툰 영어로도 소통 가능! 극히 일부 못 알아듣는 척하는 현지인은 패스할 것!

- 통화와 환전, 신용카드

• 영국 화폐

영국 화폐는 파운드(Pound)로 불리고 £로 표시한다. 파운드는 로마의 무게 단위인 폰두스(Pondus)에서 유래. 파운드보다 작은 단위는 페니(Penny), 복수로 펜스(Pence)라 불리고 P로 표시. 1파운드는 100펜스. 동전은 1페니 · 2 · 5 · 10 · 20 · 50 펜스, 1 · 2 파운드, 지폐는 5 · 10 · 20 · 50 파운드

• 환전

환율은 1파운드는 약 1,700원(2024년 3월 기준). 환전은 은행 앱 또는 은행 홈페이지의 사이버 환전으로 것이 유리하고 번거롭다면 시내 은행에서 환전한다. 공항의 은행이 가장 환율이 좋지 않다. 파운드 여행자 수표는 GBP 20 · 50 · 100가 있고 두 개의 서명란 중 하나에 서명해두고 런던의 은행 또는 환전소에서 현금으로 환전할 때(수수료 있음) 다른 하나에 서명한다. 여행자 수표 번호를 적어두면 분실해도 재발행 받을 수 있다.

런던 현지 환전은 은행 또는 환전소에서 할 수 있는데 런던 시내에 환전소가 많으므로 게시된 환율을 보고 환전한다. 백화점이나 쇼핑센터 내 환전소, 길가 환전소 중에는 ICE(International currency exchange) 추천! 환전 즉시 영수증과 액수 확인! 날치기 주의!

• 신용카드

한국에서 통용되는 VISA · AMEX · MASTER 신용카드를 사용할 수 있고 카드 뒷면에 PLUS, Cirrus 표시가 있는 직불카드로 결제할 수 있다. 일부 재래시장이나 작은 상점, 식당에서는 결재가 어려울 수도 있으니 염두에 두자. 시내 곳곳에서 볼 수 있는 ATM기에서 신용카드로 파운드를 찾을 수 있으나 ATM기 대부분이 길가에 있으므로 날치기, 소매치기 주의!

- 전압과 전기 콘센트

전압은 240V, 50Hz, 전기 콘센트는 3구형을 사용한다. 여행용 멀티어댑터나 3구형←2구형 어댑터를 준비한다. 어댑터를 준비하지 못했다면 호텔에서 어댑터를 빌리거나 런던 현지 상점에서 살 수도 있다. 추가로 2구 멀티 탭을 가져가면 여러 전자기기 이용 가능!

- 전화
• 스마트폰 로밍
KT, SKT, LG+통신사에서 다양한 로밍 서비스를 제공한다. KT의 경우, 로밍 상품 선택하지 않고 로밍을 켰을 때 전화(분당)_현지 118.8원, 한국으로 118.8원, 수신 118.8원, 문자(건당)_발신 22원(SMS)/33원(LMS)/220원(MMS), 수신 무료, 데이터_0.5KB 당 0.275원. 로밍 상품으로 '데이터로밍 함께ON'을 선택했을 때 2기가바이트(GB) 1~3인_33,000원/15일, 4기가바이트(GB) 1~3인_44,000원/30일, 6기가바이트(GB) 1~3인_66,000원/30일. 그 외 여러 로밍 상품이 있고 통신사별로 요금대가 비슷하다.
※로밍 신청 없이 런던에서 스마트폰을 켜면 자동 로밍되니 로밍 사용하지 않을 때 비행기 모드(와이파이 사용 가능)로 사용.

• 공중전화
런던 시내에서 간혹 공중전화를 볼 수 있으나 스마트폰이 보편화하여 이용할 일이 적다. 기본요금은 60펜스, 동전 외 상점에서 전화카드를 사 이용할 수도 있다. 런던 현지 통화 시 일반 번호는 영국 국가번호 44를 제외하고 누르면 되고 스마트폰 번호는 그대로 다 누르면 된다.

런던→한국
00(국제전화 식별번호)-82(한국 국가번호)-10-XXXX-XXXX(0 빼고 스마트폰 번호) 또는 XXX-XXXX(일반 번호)

한국→런던
001, 002, 005, 00700(국제전화 식별번호 중 선택)-44(영국 국가번호)-XXX-XXXX-XXXX(0 빼고 스마트폰 번호) 또는 XXX-XXXXX-XXXXX(일반 번호)

※긴급 상황 발생 시 스마트폰 로밍하지 않았어도 비행기 모드에서 일반 모드로 돌아가면 자동 로밍(구형 스마트폰은 되지 않을 수 있음, 통신사 문의)되므로 필요한 곳이나 한국으로 전화할 수 있음. / 통화 시 + 표시는 0을 계속 누르면 됨.

※런던과 근교 전화 지역 번호
런던 20, 케임브리지 1223, 바스 1225, 캔터베리 1227, 브라이튼

1273, 솔즈베리 1722, 옥스퍼드 1865

• 유심

유심(USIM) 또는 심(SIM)은 한국의 유심 사이트에서 미리 사거나 영국 히스로공항의 자동판매기, 런던의 통신사 매장에서 구매해 사용할 수 있다. 유심 종류는 쓰리(Three), 이이심(EE), 레바라(Lebara), 보다폰(Vodafone) 등 다양하고 이중 쓰리심이 인기! 유심은 선불식(Pay as you go)으로 선택하고 데이터와 통화, 문자를 할 수 있는 올인원식이 유용! 유심 구매 후 기존 유심 빼서 잘 보관하고 보통 새 유심 끼고 껐다 켜면 자동으로 인식! 공항의 자동판매기보다 통신사 매장이 조금 저렴하나 매장에 원하는 상품이 없을 수 있음. 매장 구매 시 설치해줌! 유심은 런던은 물론 유럽에서도 사용할 수 있어 편리! ※요즘 한국 유심 사이트에 더 다양한 유심 상품 있음.

쓰리심_Unlimited data(데이터 전용), 1달_£28 내외
유심스토어(한국)_쓰리심 30일, 16/30 기가바이트, 유럽 내 통화&문자 무제한 16,800원/21,8000원 내외
※기한이 지나면 여러 톱업(Top up, 충전) 사이트에서 바우처 구매 후 쓰리 홈페이지에서 바우처 등록, 충전

톱업 사이트_www.mobiletopup.co.uk
쓰리_www.three.co.uk
이이_https://ee.co.uk
레바라_https://mobile.lebara.com
유심스토어_www.usimstore.com

- 인터넷과 와이파이

보통 호텔, 호스텔, 카페 네로 같은 카페, 잇(EAT), 프레 타 망제(Pret A Manger) 같은 프랜차이즈 레스토랑에서 무료 와이파이가 제공된다. 간혹 인터넷 카페를 볼 수 있는 인터넷을 이용할 수도 있다.

- 차량 진행 방향과 층수

런던에서 차량은 **왼쪽**으로 진행하니 횡단보도 건널 때 주의한다. 아울러 도로가 좁고 도롯가에 하수도 부분도 없어 차량이 달릴 때 위험하므로 도로 쪽으로 가까이 가지 않고 무단횡단하지 않는다. 층수는 지하 LG(Lower Ground), 지상층 GF(Ground Floor), 1층 1F(1Floor)~ 순으로 표기!

- 치안

런던 시내의 치안은 대체로 안전하나 늦은 밤 뒷골목, 한적한 공원 등에 홀로 다니지 않는다. 역이나 코치스테이션, 박물관, 미술관, 재래시장 등에서 소매치기, 짐(캐리어) 들치기, 스마트폰 날치기 등 주의! 뮤지컬 극장에도 입장

과 퇴장 시 소매치기, 짐 들치기 있음! 저녁 시간 펍에서 다투지 말고 펍 안 팎의 만취자 조심! 런던 경찰은 낮에 시내에서 볼 수 있을 뿐 밤에 보기 힘드니 주의!

– 유용한 사이트와 전화번호
영국 경찰 · 응급 · 소방 : 999(긴급)
영국 경찰 : 101(일반 사건, 지역 경찰서 연결)
영국 관광청 : www.visitbritain.com

주영 대한민국 대사관
교통 : 세인트 제임스 파크(St. James's Park) 역에서 버킹엄 게이트 거리 방향. 도보 4분
주소 : 60 Buckingham Gate, London SW1E 6AJ
시간 : 영사민원실_월~금 09:00~12:00, 14:00~16:00

전화 : 대표_+44-20-7227-5500, 긴급_+44-20-7227-5500(근무시간), +44-78-7650-6895(근무시간 외) ※ 영국 내 전화 시 44 뺌.
홈페이지 : https://overseas.mofa.go.kr/gb-ko/index.do

외교통상부 영사콜센터_
통역서비스/신속해외송금지원/안전문자 자동전송 서비스/영사콜센터 무료전화 앱(앱스토어에서 다운, 와이파이 환경에서 무료통화)
전화 : (국내) 02-3210-0404, (해외) +82-2-3210-0404
무료_00-800-2100-0404, 00-800-2100-1304
국제자동콜렉트콜_0800-028-8307
홈페이지 : www.0404.go.kr

〈런던 개요〉

시티오브런던과 32개 자치구

잉글랜드 남동부에 있는 영국의 수도이다. 런던의 어원은 1세기에 기록된 고대 로마 시절 지역명인 '론디니움(Londinium)'에서 유래되었다. 런던은 1889년까지 공식적으로 길드홀, 영국은행 등이 있는 시티오브런던(City of London)을 가리켰다가 현재는 시티오브런던을 중심으로 광역권을 의미하는 그레이터런던을 말한다.

런던의 행정 구역은 1. 시티오브런던 (런던 자치구 아님), 2. 시티오브웨스트민스터, 3. 켄징턴 첼시, 4. 해머스미스 풀럼, 5. 원즈워스, 6. 램버스, 7. 서더크, 8. 타워햄리츠, 9. 해크니, 10. 이즐링턴, 11. 캠던, 12. 브렌트, 13. 일링, 14. 하운즐로, 15. 리치먼드어폰템스, 16. 킹스턴어폰템스, 17. 머턴, 18. 서턴, 19. 크로이던, 20. 브롬리, 21. 루이셤, 22. 그리니치, 23. 벡슬리, 24. 헤이버링, 25. 바킹 대거넘, 26. 레드브리지, 27. 뉴엄, 28. 월섬포리스트, 29. 해링게이, 30. 엔필드, 31. 바닛, 32. 해로, 33. 힐링던 등 런던시(City of London)와 32개 자치구(Borough)로 되어 있다.

이중 런던 시내는 템스강을 중심으로 시티오브런던, 시티오브웨스트민스터, 켄징턴 첼시, 해머스미스 풀럼, 타워햄리츠, 캠던, 이즐링턴, 해크니, 서더크, 램버스, 원즈워스 정도. 이 지역에 하이드 파크, 버킹엄 궁전, 국회의사당, 빅벤, 웨스트민스터 사원, 런던아이, 트라팔가 광장, 대영 박물관, 세인트 폴 대성당, 런던탑, 타워브리지 등 주요 관광지가 몰려 있다.

02 (런던) 공항에서 시내 들어가기

1) 히스로공항에서 시내 이동

런던 서쪽에 약 24km 지점에 있는 메인 공항으로 1~3 터미널과 4~5 터미널 간 공항 셔틀버스로 이동할 수 있다. 공항에서 시내까지 공항철도 히스로 익스프레스, 지하철 언더그라운드, 공항버스, 택시 등을 이용할 수 있다.

히스로 공항_www.heathrow.com

– 공항철도

공항철도는 직행 **히스로 익스프레스(Heathrow Express)**와 완행 히스로 커넥트(Heathrow Connect)가 있었으나 2018년 5월부터 완행 히스로 커넥트는 광역급행철도(GTX)인 **크로스레일 엘리자베스선**으로 대체 되었다. 히스로 익스프레스는 히스로공항 역(터미널 5/4/2·3역)에서 런던 패딩턴 역까지 주중 05:07~23:42, 15~22분 소요. 좌석은 익스프레스 클래스와 비즈니스 퍼스트 클래스가 있다. 익스프레스 클래스 요금은 편도/왕복 £25/£32.

크로스레일 엘리자베스 선은 히스로공항 역(터미널 5/4/2·3역)에서 런던 중심부까지 1시간 내로 운행한다. 기본요금은 £7.2, 공항에서 런던 중심부까지는 £12.8

히스로 익스프레스_
www.heathrowexpress.com
크로스레일_www.crossrail.co.uk

– 지하철

지하철은 튜브(Tube) 또는 언더그라운드(Underground)라고 한다. 히스로공항에서 런던 시내, 주중 05:15~23:45, 51분 소요, 요금은 공항에서 런던 시내(Zone 1)까지 £6.7 교통 카드인 오이스터 카드 이용 시 £5.6 원데이 트래블카드(Zone 1~6) £22.6(Peak)/£15.9(off-peak). ※지하철 이용 시 피크 타임(공휴일 제외, 월~금 6:30~9:30, 16:00~19:00) 때 요금이 조금 비싸고 오프 피크(파크 타임 외 시간) 때 요금이 조금 저렴하나 여행자는 며칠 머무는 여행자는 크게 신경 쓸 필요가 없다.

지하철_https://tfl.gov.uk

– 공항버스

공항버스(Airport Bus)로 히스로공항(터미널 5/4/2~3 정류장)에서 빅토리아 코치스테이션까지 수시로, 약 50분 소요, 요금 £10 내외.

내셔널 익스프레스_
www.nationalexpress.com

메가 버스_www.megabus.com

- 택시

택시는 일반 택시인 블랙 택시와 소형 택시인 미니캡으로 나뉜다. 블랙 택시는 히스로공항에서 런던 시내까지 요금이 주중(05:00~20:00) £52~£97, 30~60분 소요. 미니캡은 히스로공항에서 런던 시내까지 요금이 £41 내외, 약 40분 소요

2) 개트윅 공항에서 시내 이동

런던 남쪽 약 48km 지점에 있는 서브 공항. 공항에서 시내까지 공항철도 개트윅 익스프레스, 기차 서던 레일웨이 이용하여 런던 시내에 도착할 수 있다.

개트윅 공항_www.gatwickairport.com

- 공항철도

개트윅 익스프레스(Gatwick Express)로 개트윅 공항에서 빅토리아 역까지 03:30~24:30, 약 30분 소요, 요금 일반석 £18.5_ 일등석 £27.7 내외

개트윅 익스프레스_
www.gatwickexpress.com

- 기차

서던 레일웨이(Southern Railway)로 개트윅 공항에서 빅토리아 역까지 04:00~다음날 01:00, 약 35분 소요, 요금 일반석 £18.3~20.7, 일등석 £27.5 내외. 서던 레일웨이 외 템스 링크(Thameslink)가 런던 브리지 역과 세인트 판크라스 역 등으로 운행한다. ※기차 회사 각각 다름.

서던 레일웨이_
www.southernrailway.com
템스 링크_
www.thameslinkrailway.com

- 버스

이지버스(Easy Bus)와 내셔널 익스프레스로 개트윅 공항에서 런던 시내까지 수시로, 2시간 10분 소요, 요금 £10 내외.

이지버스_www.easybus.com

3) 스탠스테드 공항에서 시내 이동

런던 북동쪽 약 56km 지점에 있는 서브 공항으로 주로 라이언 에어 같은 저가

항공사 운항. 스탠스테드 공항_www.stanstedairport.com

- 공항철도

스탠스테드 익스프레스(Stansted Ex-press)로 공항에서 리버풀 스트리트 역까지 수시로, 약 45분 소요, 요금 £20.7 내외

스탠스테드 익스프레스_

www.stanstedexpress.com

- 공항버스

공항버스(익스프레스)와 내셔널 익스프레스로 공항에서 런던 시내까지 수시로, 약 1시간 30분 소요, 요금 £15~16 내외

공항버스_

https://airporttransfers.stanstedairport.com

4) 루턴 공항에서 시내 이동

런던 북쪽에 있는 서브 공항으로 주로 저가항공사 운항, 공항에서 셔틀버스로 루턴 에어포트 파크웨이로 이동 후 교통편 이용.

루턴 공항_www.london-luton.co.uk

- 공항철도

기차 템스 링크(Themes Link)로 세인트 판크라스 역까지 수시로, 약 40분 소요, 요금은 일반석 £19.1, 일등석 £29.2 내외

템스링크_

https://ticket.thameslinkrailway.com

- 공항버스

그린라인(Greenline) 버스로 빅토리아 코치스테이션까지 수시로, 1시간~1시간 20분 소요, 요금 £11.5 내외

그린라인_

www.arrivabus.co.uk/greenline

5) 런던 시티 공항에서 시내 이동

런던 동쪽, 가장 가깝고 작은 서브 공항으로 영국 국내와 유럽 노선 운항. 경전철(DLR)에서 지하철로 갈아타면 런던 시티 에어포트(London City Airport) 역에서 런던 시내까지 편리하게 이동!

런던 시티 공항_www.londoncityairport.com

03 시내 교통&교통 카드
1) 시내 교통

- 지하철

지하철은 튜브(Tube) 또는 언더그라운드(Underground)라고 하고 전철(지상철)은 오버그라운드(Overground), 경전철을 디엘알(DLR)라고 한다. 지하철과 전철, 경전철 노선은 디스트릭, 피카딜리, 센트럴 등 13개, 구간은 런던 중심부터 존(Zone) 1~6으로 나뉜다(시내 외곽은 존 9까지 있음). 웨스트민스터, 소호, 시티, 사우스뱅크, 서더크 등 대부분의 관광지가 존 1~2, 런던 동물원과 캄덴 마켓 존 2, 런던 시티 공항 존 3, 큐 가든 존 3~4, 히스로공항 존 6에 위치한다.

요금은 시간별로 피크 시간(월~금 주중 06:30~09:30, 16:00~19:00)과 오프 피크(피크 시간 외) 시간 요금으로 나뉜다. 존별 요금은 존 1(£2.8/2.7)에서 존 1~6(£5.6/3.5)으로 갈수록 비싸다(피크/오프 피크, 오이스터 카드 기준). ※현금 구입 시 존 1 £6.7

요금 지급은 현금으로 산 코인(승차권)이나 교통 카드 오이스터 카드로 할 수 있는데 현금보다 오이스터 카드나 트래블 카드가 저렴하다. ※지하철 매표소에 직원이 잘 없고 자동판매기는 지폐보다는 동전과 신용카드 위주!

지하철_https://tfl.gov.uk

런던 지하철 앱_
London Underground by Zuti

- 버스

일반 버스와 이층버스인 더블덱으로 운영되고 버스정류장에 N 표시는 새벽 1~5시의 나이트 버스. 요금(오이스터 카드 기준)은 존 구분 없이 £1.75, 1일 한도는 £5.25. **현금 사용 불가**하고 오이스터 카드나 트래블 카드만 이용할 수 있다. 승차 시 카드 터치하고 버스 하차 시에는 터치하지 않아도 된다. 지하철이 잘 되어 있어 버스 탈 일이 없으나 이용하고자 한다면 런던 버스 앱을 활용해보자. 피카딜리 서커스에서 트라팔가 광장, 세인트 폴 대성당을 거쳐 런던탑에 이르는 15번, 코벤트 가든에서 런던아이, 테이트 모던을 거쳐 런던탑에 이르는 RV1번 등이 이용해볼만하다.

이층버스의 경우 런던 시내나 낮에 2층에 올라도 좋지만, 런던 외곽이나 밤에는 일부 시비 거는 사람이 있으므로 가급적 2층에 오르지 않도록 한다. 운전기사가 있는 1층이 안전!

런던 버스 앱_
Lon bus by Zuti / Citymapper
버스_https://tfl.gov.uk/modes/buses

– 택시

택시는 블랙 택시(Black Taxi) 또는 블랙캡(Black Cab)이라고도 불리고 동네에서 전화를 부르는 소형 택시는 옐로우캡(Yellow Cab) 또는 미니캡(Mini Cab)라고 한다. 블랙 택시 기본요금은 £3.8, 1마일(약 1.6km) 당 월~금 05:00~20:00 £6.4~£10, 전화 또는 온라인 호출 시 £2 추가. 히스로공항에서 런던 시내까지 £52~£97. 월~금 20:00~22:00, 토~일 05:00~22:00, 매일 22:00~05:000 할증 요금 부과됨.

※런던 외곽이나 시외에 갔을 때 차편이 없으면 동네 구멍가게나 펍에서 미니 캡 호출 번호를 묻거나 불러달라고 하자! ※런던에서 앱 호출 서비스인 **우버**(Uber, 최소 요금 £1.4, 1마일 당 £1.6)를 이용할 수 있으나 정부 공인 서비스가 아니므로 이용 시 주의!

런던 택시_
https://tfl.gov.uk/info-for/taxis-and-private-hire

– 리버보트

우버보트 템스 클리퍼스(Uberboat Thames Clippers), 시티 크루즈(City Cruises), 템스 리버 서비스(Thames River Services) 등 3개 회사에서 보트를 운행한다. 관광객은 주로 웨스트민스터 또는 런던아이 부두에서 그리니치까지 가는 보트(수시로, £9.6~£12.8 내외)를 이용한다. 그리니치 가는 동안 유람선인 양 빅벤, 런던아이, 세인트폴 대성당, 밀레니엄 브리지, 테이트 모던, 런던탑, 타워 브리지 등을 볼 수 있으므로 꼭 타보기 권한다. 엠비엔에이 템스 클리퍼스에서 리버버스라는 이름으로 몇몇 노선을 운항하나 웨스트민스터-그리니치 노선에 앞뒤로 조금 붙인 것에 불과하다. 정기 노선 외 이브닝 크루즈, 디너 크루즈 등도 관심을 가져볼 만하다.

우버보트 템스 클리퍼스_
www.thamesclippers.com
시티 크루즈_www.citycruises.com
템스 리버 서비스_
www.thamesriverservices.co.uk

– 시티 투어 버스

관광지 순회 버스로 관광지에서 자유롭게 타고 내려 홉온홉오프버스(Hop on hop off Bus)라고도 한다. 시티 투어 버스를 이용하면 주요 관광지를 편안하게 한 번에 둘러볼 수 있는 이점이 있다. 세계적으로 유명한 빅 버스 투어(Bigbus Tours, 1일/2일/3일 £41/£59/£69 내외)와 툿 버스(Tootbus, 1일/2일/3일 £31/£34/£37 내외) 등의 회사에서 운영하는데 코스와 요금은 비슷!

빅 버스 투어_

www.bigbustours.com/en/london
풋 버스_www.tootbus.com

- 공유 자전거

산탄더 사이클(Santander Cycle)이란 이름의 무인 자전거 대여 시스템이다. 런던 시내에 자전거를 대여하고 반납할 수 있는 도킹 스테이션이 산재해 편리하게 이용할 수 있다. 자전거 여행이 낭만적이지만 런던 시내 도로 폭이 좁고 돌길도 있으며 교통법규와 운전습관에 익숙하지 않으므로 추천하지 않는다. 자전거에 익숙하지 않으면 위험할 수 있음.

· 요금은 처음 30분 무료, 30분 이후 24시간 £2 내외

· 대여 방법은 도킹 스테이션 단말기에서 ① 하이어 어 사이클(Hire a Cycle) 선택, ② 직불카드 또는 신용카드 투입, ③ 번호가 기록된 인쇄물 수취, ④ 자전거 상태 확인, ⑤ 자전거의 도킹 포인트에 번호 입력, ⑥ 녹색 불, 자전거 인출.

· 반납 방법은 빈 도킹 스테이션에 자전거 밀어 넣으면 되고 자리 없으면 단말기에 노 도킹 포인트 프리(No docking point free) 선택(15분 무료) 후 도킹 스테이션에 자리 날 때까지 기다리거나 다른 도킹 스테이션 찾아 자전거 반납한다.

산탄더 사이클 앱/전화_Santander Cycles App/0343-222-6666

산탄더 사이클_
https://tfl.gov.uk/modes/cycling/santander-cycles

2) 교통 카드

런던에 2~3일 머무를 사람은 오이스터 카드, 6~7일 머무를 사람은 트래블 카드가 유용하다. 런던 시내 여행 시 웬만한 곳을 걸어 다닐 수 있어 지하철, 버스 탈 일이 없으나 이곳저곳의 핵심 여행지만 둘러보자면 오이스터 카드나 트래블 카드를 적극적으로 이용하는 것이 체력 소비가 적다.

- 오이스터 카드 Oyster Card

영국 교통 카드로 지하철, 전철, 경전철(DLR), 기차, 버스, 일부 리버 보트 등 다양하게 사용할 수 있고 요금 할인도 된다. 카드 구매는 지하철역 매표소, 자동판매기, 오이스터 카드 판매처 등에서 할 수 있는데 충전식(Pay as you go)으로 보증금 £5를 내고 원하는 금액을 충전(Top up)하면 된다. 충전은 자동판매기를 통해서 할 수 있고

편 요금 추가, 일부 관광지 할인 등.
※오이스터 트래블 카드(Oyster Travel Card)는 1일/7일/1달/1년 한정, 기간 내 무제한 이용, 충전 불가
※컨택리스 카드(Contackless Card)는 한국에서 미리 일정 액수의 파운드가 충전된 트래블웰렛 카드를 만들어 런던에서 지하철과 버스 같은 대중교통 이용 시 교통카드처럼 사용할 수 있음.
오이스터 카드_
https://oyster.tfl.gov.uk/oyster
비지터 오이스터 카드_
https://visitorshop.tfl.gov.uk/en/london-visitor-oyster-card
컨택리스 카드_
https://contactless.tfl.gov.uk

사용을 마친 뒤에는 카드 보증금과 잔액이 £10 이하일 때 매표소 티켓 자판기, £10 이상일 때 비지터 센터에서 환불받을 수 있다. 참고로 히스로공항(존 6)에서 런던 시내(존 1)까지 오이스터 피크/오프 피크 £5.5/£3.5
※비지터 오이스터 카드(Visitor Oyster Card)는 일정 금액 충전되어 있는 오이스터 카드로 온라인 구매, 보증금(£5) 환불 불가, 발송을 위한 우

존(Zone)	요금(피크/오프 피크/1일 한도)
존 1	£2.5 / £2.5 / £7.7
존 1~2	£3.2 / £2.6 / £7.7
존 1~3	£3.6 / £2.9 / £9
존 1~4	£4.3 / £3.1 / £11
존 1~5	£5 / £3.4 / £13.1
존 1~6	£5.5 / £3.3 / £14.1

※11세 이하 어린이 지하철, 버스, 트램 무료. ※1일 한도(Price cap)_1일 해당 구간에서 일정 요금 이상 부과되지 않음.

- 트래블 카드 Travel card

선불식 정기권으로 구매 시 존을 설정해야 하며 존을 벗어날 때 일정 금액을 충전해서 사용한다. 종류는 1일/7일 트래블 카드, 1일/7일 버스&트램 패스, 월간(1달) 트래블 카드(Monthly Travelcard), 월간 버스&트램 패스

(Monthly Bus&Tram Pass) 등이 있   다. 보증금 £5 별도!

존(Zone)	1일 트래블 카드(피크/오프피크)	7일 트래블 카드
존 1	£15.2/15.2	£40.7
존 1~2	£15.2/15.2	£40.7
존 1~3	£15.2/15.2	£47.9
존 1~4	£15.2/15.2	£58.5
존 1~5	£21.5 / £15.2	£69.6
존 1~6	£21.5 / £15.2	£74.4

※피크_월~금 09:30 이전, 오프피크_그 외 시간

☆여행 팁_2FOR1 London

기차 이용자를 위한 할인 혜택으로 기차역에서 구매한 <u>1일/7일/1달 내셔널 트래블 카드 또는 싱글 기차 티켓</u> 소지한 2인에 한하여 관광지, 박물관, 어트랙션, 전시장 등을 입장할 때 1인 가격으로 2인 입장할 수 있다.

내셔널 트래블 카드(National Travel Card)는 정해진 기간 동안 런던의 지하철, 오버그라운드, DLR, 버스, 기차 등 무제한 이용할 수 있는 카드. 구입처는 빅토리아 역·워털루 역·킹스크로스 역 등 기차역 매표소(가급적 큰 역으로 갈 것!), 가격은 존 1~2 1일권 £15.2, 7일권 £40.7 ※티켓 자동판매기 말고 기차 매표소로 갈 것!, 오이스터 트래블 카드는 혜택 없음. 준비물은 여권, 증명 사진, 발급 비용. 내셔널 트래블 카드는 스마크 카드와 포토 카드, 2개 발급됨.

싱글 기차 티켓은 가까운 1구간 기차 티켓을 구입, 플랫홈 입장 시 개찰구 넣지 말고 직원에게 보여 주고 입장할 것! *구입 당일만 혜택, 일부 불가한 곳도 있음.

2FOR2 사용법은 내셔널 트래블 카드 또는 싱글 기차 티켓을 구입한 후, 아래 2FOR1 사이트에서 소개된 관광지, 박물관, 어트랙션, 전시장 등을 클릭, 예약한다. 예약 후 바우처를 프린트해 관광지, 박물관 등에 내셔널 트래블 카드 또는 싱글 기차 티켓과 함께 제출하면 2FOR1을 적용, 발권해 준다.

2FOR1 주의 사항은 반듯이 2인 모두 내셔널 트래블 카드 또는 싱글 기차 티켓을 구입, 제시해야 하고 바우처 프린트 필수! 일부 관광지는 2FOR1 사이트에서 결제(발권)까지 하는 경우 있음. 일부 관광지는 7~8월 여름 성수기, 관광지 지정일에 2FOR1 런던을 사용할 수 없으니 홈페이지 참조!

홈페이지_https://www.nationalrail.co.uk/days-out-guide/2for1-london

04 유럽에서 기차, 버스, 페리로 영국 입국하기

1) 기차

프랑스 파리와 벨기에 브뤼셀에서 국제열차 유로스타를 이용, 도버 해협을 지하로 통과하여 런던 세인트 판크라스 역에 도착할 수 있다. 소요시간은 런던-파리 약 2시간 20분, 런던-브뤼셀 약 2시간 10분. 역에서 입국 심사와 수하물 검사 진행. 출국 시 공항과 마찬가지로 체크인 수속과 출국 심사 등을 고려하여 2시간 전에 역으로 온다. 역 내부가 항상 사람들로 북적이니 소지품 보관에 유의!
유로스타_www.eurostar.com

세인트 판크라스 역 St Pancras International

국제열차 유로스타, 기차 사우스이스턴

(Southeastern), 이스트 미들랜드 트레인(East Midland Trains), 템스 링크(Thameslink), 지하철 언더그라운드 역
교통 : 유럽에서 유로스타, 영국에서 기차, 지하철 이용
주소 : Euston Rd, Kings Cross, London N1C 4QP
전화 : 020-7843-7688
홈페이지 : https://stpancras.com

2) 버스

유럽의 파리, 브뤼셀 등에서 유로라인, 메가 버스를 이용, 도버 해협의 지하를 통과해 빅토리아 코치스테이션에 도착할 수 있다. 일부 노선은 페리 갈아타 도버 해협을 건넘. 소요시간은 런던-파리/브뤼셀 약 8시간. 런던행의 경우 프랑스 도버 터널 전에 프랑스 출국 심사, 영국 입국 심사와 수하물 검사가 진행된다. 입국 심사 시 공항에서처럼 여행 목적, 직업, 기간, 숙소 등을 질문하나 간단히 영어로 대답하면 별문제 없다. 보통 유로라인보다 메가 버스가 더 싸고 버스 티켓은 일찍 예매할수록 저렴하다.
유로라인_www.eurolines.com, 메가 버스_www.megabus.com

빅토리아　　코치스테이션　　Victoria
Coach Station

내셔널 익스프레스, 옥스퍼드 튜브(길
가), 유로라인, 메가 버스 등 코치스테

이션

교통 : 유럽에서 유로라인, 메가 버스,
영국에서 버스, 지하철 이용

주소 : 164 Buckingham Palace
Rd, Belgravia, London, WC2R
1AL

전화 : 0343-222-1234

홈페이지 :
https://tfl.gov.uk/modes/coaches/
victoria-coach-station

3) 페리

프랑스 칼레(Calais), 됭케르크(Dunkirk) 등에서 페리(여객선)를 타고 도버 해협을
건너 도버 페리 부두에 도착할 수 있다. 소요시간은 도버-칼레 약 1시간 30분.
파리 출발인 경우 파리→(버스)→칼레, 칼레→(페리)→도버, 도버→(버스)→런던 순
으로 이동! 프랑스 칼레에서 프랑스 출국 심사, 영국 입국 심사와 수하물 검사 진
행! 영국 입국 심사 시 여행 목적, 직업, 기간, 숙소 등 질문하나 간단히 영어로
대답하면 된다. 페리 티켓은 조기 예매 시 저렴하나 취소되지 않을 수 있음.
DFDS 시웨이즈_www.directferries.com/norfolk_line_dover_seaways.htm
P&O 페리_www.poferries.com

도버 페리 부두 Dover Ferry Port
교통 : 프랑스 칼레, 벨기에, 네덜란드
등에서 페리 이용

주소 : Dover Ferry Port
전화 : 01304-240-400
홈페이지 : www.doverport.co.uk/ferry

05 런던에서 영국 국내/유럽 이동하기

1) 항공

히스로 공항, 개트윅 공항, 스탠스테드 공항, 루턴 공항, 런던 시티 공항 등에서 항공기를 이용해 영국 내와 유럽으로 이동할 수 있다. 대형 항공사보다 이지젯(easyJet), 라이언 에어(Ryan Air) 같은 저가항공사가 저렴!

이지젯_www.easyjet.com, 라이언 에어_www.ryanair.com

2) 기차

기차로 영국 내, 국제열차 유로스타로 유럽의 파리, 브뤼셀까지 이동할 수 있다. 기차는 교통체증 없이 버스보다 빨리 목적지에 도착할 수 있어 편리. 단, 영국 철도는 민영화되어 기차마다 철도 회사가 다르고 출발역도 지역마다 다르니 참고! 기차 요금은 사람들이 몰리는 피크 시간일 때보다 비 피크 시간일 때 저렴하다.
기차 검색 및 예매_www.nationalrail.co.uk, 유로스타_www.eurostar.com

빅토리아 역 Victoria Station
브리이튼, 이스트본 등 잉글랜드 남부, 캔터베리, 리즈 등 남동부, 개트윅 공항

차링 크로스 역 Charing Cross Station
그리니치, 캔터베리, 도버 등 잉글랜드 남동부

패딩턴 역 Paddington Station
런던 서부, 카디프 같은 웨일스 남부, 바스 같은 잉글랜드 남서부, 옥스퍼드, 히스로공항

유스턴 역 Euston Station
글래스고 같은 스코틀랜드, 맨체스터, 버밍엄 등 잉글랜드 중북부, 잉글랜드 서부, 웨일스 북부

세인트 판크라스 역 St. Pancras Station
요크, 리즈, 노팅엄 등 잉글랜드 중북부, 브리이튼 같은 잉글랜드 남부 / 파

리와 브뤼셀

킹스 크로스 역 King's Cross Station
케임브리지, 리즈 등 잉글랜드 북동부, 요크셔, 에든버러, 뉴캐슬 등 스코틀랜드 북부와 동부

리버풀 스트리트 역 Liverpool Street

Station
브라이튼, 사우스햄튼, 포츠머스 등 잉글랜드 남부, 케임브리지, 노리치 등 잉글랜드 동부, 스탠스테드 공항
워털루 역 Waterloo Station
윈저, 햄프턴 코트, 윔블던, 솔즈베리, 브라이튼, 포츠머스, 본머스 등 잉글랜드 남서부

3) 버스

빅토리아 코치스테이션에서 내셔널 익스프레스, 메가 버스, 옥스퍼드튜브 등을 이용해 영국 각지, 유로라인, 메가 버스 등을 이용해 유럽의 파리, 브뤼셀로 이동할 수 있다. 버스 티켓은 조기 예매일수록 저렴하나 환불되지 않으니 주의! 버스 요금 시간대별로 다름!

내셔널 익스프레스_www.nationalexpress.com
메가 버스_https://uk.megabus.com, 유로라인_www.eurolines.com

4) 페리
런던 남동부 도버 페리 부두(Dover Ferry Pier)에서 페리를 이용해, 프랑스의 칼레(Calais), 됭케르크(Dunkerque)로 이동할 수 있다.
DFDS 시웨이즈_www.directferries.com/norfolk_line_dover_seaways.htm
P&O 페리_www.poferries.com

2. 런던 여행

01 웨스트민스터 Westminster

정식 명칭은 시티오브웨스트민스터(City of Westminster)로 1540년 헨리 8세의 특허장을 부여받았다. 시티오브런던에 이어 런던에서 두 번째로 오래된 지역으로 국회의사당, 웨스트민스터 사원, 다우닝가 10번지 총리 관저와 관공서, 세인트 제임스 파크, 버킹엄 궁전 등 정치와 왕실 관련 건물이 많다.

런던의 상징 중 하나인 빅벤, 왕실 대관식이 열리고 올리버 크롬웰, 아이작 뉴턴, 찰스 디킨스 등 명사들이 잠든 웨스트민스터 사원, 런던 여행에 꼭 한번 봐야 하는 버킹엄 궁전 근위병 교대식 등 볼거리가 많아 런던 여행의 1번지로 여겨진다.

※시티오브웨스트민스터는 국회의사당에서 코벤트 가든, 리젠트 파크에 이르는 지역이나 이 장에서는 국회의사당에서 버킹엄 궁전까지만 다룬다.

▲ 교통

① 국회의사당&웨스트민스터 사원_지하철 웨스트민스터(Westminster) 역
② 버킹엄 궁전_세인트 제임스 파크(St. James's Park) 역, 그린 파크 (Green Park) 역
③ 테이트 브리튼_핌리코(Pimlico) 역 하차

▲ 여행 포인트

① 영국 여왕이 머무는 버킹엄 궁전과 근위병 교대식 관람하기
② 빅벤과 민주주의 산실, 국회의사당 둘러보기
③ 웨스트민스터 사원에서 명사의 무덤 찾아보기
④ 테이트 브리튼에서 게인즈버러, 터너, 블레이크의 작품 감상하기

▲ 추천 코스

버킹엄 궁전→버킹엄 궁전 근위병 교대식→퀸즈 갤러리&로열 뮤스→빅벤→국회의사당→웨스트민스터 사원→테이트 브리튼

국회의사당 Houses of Parliament

영국 국회의사당으로 템스강 변에 위치한다. 빅벤이 있는 북쪽이 하원 의사당, 빅토리아 타워가 있는 남쪽이 상원 의사당이다. 이곳은 원래 1050~1065년 세워진 웨스트민스터 궁전이었고 16세기부터 의사당으로 사용하였다. 1834년 화재로 웨스트민스터 홀을 빼고 궁의 대부분이 소실되자, 1840~1860년 네오고딕 양식으로 현재의 건물이 세워졌다. 템스강을 따라 건립된 건물은 길이 265m, 복도 길이약 3.2km, 방의 수 1,000개, 면적 3만 3,000㎡의 대형 건물이다.

상원에 왕의 좌석과 영국 왕가를 상징하는 진홍색 소파, 하원에 의장석을 중심으로 양편의 초록색 긴 의자가 있다. 또한, 상원에 마그나 카르타에 서명한 18명의 귀족 흉상이 있어 눈길을 끈다. 마그나 카르타는 1215년 실정을 거듭하던 존왕이 귀족의 요구로 서명한 칙허장(대헌장)인데 관습으로 전해지던 사회규칙을 문서로 만듦으로써 근대 헌법과 훗날 시민 자유와 권리의 토대가 되었다.

Westminster, London SW1A 0PW

전화 : 020-7219-4272

시간 : 국회 회기 외 날짜 ※**홈페이지 예약 필수**

요금 : 성인_멀티미디어(오디오) 투어_£26, 영어 가이드 투어_£33, 빅벤 투어_£30 내외

홈페이지 : www.parliament.uk/visiting

국회의사당은 오디오 투어와 가이드 투어로 둘러볼 수 있는데 매표소(온라인 매표 가능)는 빅벤 길 건너 포트큐리스 하우스(Portcullis House)에 있고 투어는 국회의사당 서쪽, 올리버 크롬웰 동상 부근 방문자 입구로 들어가면 된다. 입구를 지나면 바닥에 조지 6세와 왕대비의 묘가 있는 웨스트민스터 홀, 영국 역사 한 장면을 그린 벽화와 영국 국왕과 여왕, 정치가의 조각상이 있는 세인트 스테판 홀, 드레싱룸인 퀴즈 로빙룸, 미술관인 로열 갤러리, 로비, 상원, 하원 등을 둘러보게 된다.

교통 : 웨스트민스터(Westminster) 역에서 국회의사당 방향. 도보 2분

주소 : Palace of Westminster,

≫빅벤 Big Ben

국회의사당 북쪽에 있는 시계탑의 큰 종을 말하나 흔히 시계탑 자체를 빅벤이라 칭하기도 한다. 시계탑의 원래 명칭은 엘리자베스 타워로 탑의 사면에 세계에서 가장 큰 자명종 시계 4개가 설치되어 있다. 매시 시각을 알리는 종소리를 들을 수 있다. 2017년부터 2022년까지 5년간 빅벤을 수리했는데 비용이 8천만 파운드(약 1,260억)나 소요됐다.

위치 : 국회의사당 북쪽

웨스트민스터 사원 Westminster Abbey

국회의사당 옆에 있는 영국 국교회(성

공회) 대성당이다. 정식명칭은 웨스트민스터 세인트 피터 참사회 성당(Collegiate Church of St. Peter at Westminster)이다. 7세기에 처음 세워졌고 1050년대 에드워드 왕에 의해 로마네스크 양식으로 증축되었다가 13세기 헨리 3세에 의해 뉴고딕 양식으로 재건축되었다. 사원은 십자가형 구조로 북쪽에 커다란 장미의 창과 아치형 입구, 서쪽에 두 개의 첨탑이 있는 출구로 되어있고 제단 뒤쪽으로 헨리 7세의 레이디 채플, 건물 남쪽으로 사각형의 정원, 챕터 하우스, 아비 뮤지엄 등 여러 부속 건물이 위치한다.

사원에서 1560년 엘리자베스 1세가 왕실 교회로 공인한 이래 해롤드 1세, 윌리엄 1세 등 역대 왕들의 대관식이 열렸고 역대 왕과 유명인들이 묻히기도 했다. 이곳에 묻힌 주요 인물은 정치가 올리버 크롬웰, 아이작 뉴턴, 찰스 다윈을 비롯해 시인의 코너라 불리는 남쪽 익랑에 제프리 초서, 찰스 디킨스, 헨델, 토머스 하디, 조셉 키플링, 로렌스 올리비에 등. 사원 입구의 세인트 마가렛 교회는 19세기 지어진 고딕 양식의 건물로 윈스턴 처칠 같은 유명인의 결혼식 장소로 알려진 곳! 사원 가는 길에 들려보자.

교통 : 웨스트민스터(Westminster)역에서 사원 방향. 도보 4분
주소 : 20 Deans Yd, Westminster, London SW1P 3PA
전화 : 020-7222-5152
시간 : 주중 09:30~15:30, 토 09:00~13:00 ※홈페이지 예약 필수
휴무 : 일요일(종일 미사)
요금 : 성인 £29
홈페이지 : www.westminster-abbey.org

처칠 워룸 Churchill War Rooms

제2차 세계 대전 당시 처칠과 전쟁 내각의 지하 본부로 화이트홀과 웨스트민스터 사이 재무부 빌딩 지하에 위치한다. 1938년 문을 열었고 1939년 본격적으로 운영되기 시작했다. 1980년

대 초 임페리얼 전쟁 박물관에 운영권이 넘어갔고 1984년 일반에 개방되었다. 이곳에서 당시의 전쟁 내각 사무실, 회의실, 복도 등을 볼 수 있다. 처칠 워룸에서 북쪽으로 한 블록 위쪽이 영국 총리 관저인 다우닝가 10번지(10 Downing St)!

교통 : 웨스트민스터(Westminster) 역에서 처칠 워룸 방향. 도보 5분

주소 : Clive Steps, King Charles St, Westminster, London SW1A 2AQ

전화 : 020-7416-5000

시간 : 09:30~18:00, 요금 : £32

홈페이지 :

www.iwm.org.uk/visits/churchill-war-rooms

뱅퀴팅 하우스 Banqueting House

영국 왕실 공식 궁전이었던 화이트홀의 부속 건물이다. 1619~1622년 찰스 1세가 부친 제임스 1세를 기리기 위해 팔라디오 양식으로 세웠고 1636년 루벤스가 그린 천장화로 유명하다. 1649년 찰스 1세의 처형장이었고 헨리 8세의 사망한 곳이기 하고 엘리자베스 1세가 런던탑에 갇히기 직전, 머무르기도 했다. 1698년 화이트홀 궁전에 화재가 발생했으나 이곳만 피해를 보지 않았다. 현재 특별한 날 왕실이나 정부의 연회장으로 쓰인다.

교통 : 차링 크로스(Charing Cross) 역, 웨스트민스터(Westminster) 역에서 도보 5~6분

주소 : Whitehall, Westminster, London SW1A 2ER

전화 : 020-3166-6155

시간 : 10:00~17:00 ※**홈페이지 예약 필수**. 휴무 : 12월 24~26일, 1월 1일

요금 : 가이드 투어_성인 £12.5

홈페이지 :

www.hrp.org.uk/banqueting-house

버킹엄 궁전 Buckingham Palace

영국 여왕의 공식 거처이자 집무실이다. 1703년 버킹엄 공작 셰필드의 저택으로 세워졌고 1761년 조지 3세에게 팔려, 이후 왕가의 소유가 되었다. 1837년 빅토리아 여왕 즉위 후부터 공식 거처 및 집무실로 이용되었다. 버킹엄 궁전 외 호수를 포함한 17만

4000㎡의 대형 정원인 버킹엄 궁전 가든스와 많은 미술품이 있는 퀸즈 갤러리, 왕실 마구간인 로열 뮤스 등 부속 건물이 있다. 버킹엄 궁전에 왕실 깃발인 로열 스탠드기가 올라가 있으면 여왕이 있는 것이고 영국 국기가 올라가 있으면 여왕이 없다는 표시라고 한다. ※입장 가능한 7~8월, 9~10월은 여왕이 윈저궁 등으로 휴가를 갔다는 뜻!

버킹엄 궁전은 보통 근위병 교대식을 보러 가지만 왕실 공식 접견장인 19개 스테이트룸이 개방되므로 관심 있다면 방문해보자. 스테이트룸은 1825년 주로 조지 4세의 성향에 따라 건축가 존 내시가 꾸몄고 귀한 왕실 컬렉션으로 채워졌다. 이 중에는 반다이크와 카날레토의 회화, 카노바의 조각, 세브르 자기, 영국과 프랑스 고가구 등이 있다.

교통 : 하이드 파크 코너(Hyde Park Corner) 역, 그린 파크(Green Park) 역, 세인트 제임스 파크(St. James's Park) 역에서 도보 10~12분

주소 : Buckingham Palace Rd, Westminster, London SW1A 1AA

전화 : 020-7930-4832

시간 : 7월~8월 09:30~19:30(입장 ~17:15), 9월~10월 09:30~18:30(입장~16:15) ※홈페이지 예약 필수

요금 : 스테이트룸 £32, 로열 데이 아웃(스테이트룸+로열뮤스+퀸스 갤러리) £61.2

홈페이지 : www.rct.uk/visit/buckingham-palace

≫근위병 교대식 Changing the Guard

커다란 털모자를 쓰고 붉은 제복을 입은 근위병은 1660년 찰스 2세 때부터 복무하기 시작했다. 이곳 외 세인트 제임스궁전, 런던탑, 윈저성(근위병 교대식 실시) 등에서도 볼 수 있다. 버킹엄 궁전의 근위병은 여왕이 머무는 곳이기에 퀸스 가드(Queen's Guard)라 불린다. 교대식은 세인트 제임스궁전과 웰링턴 배럭(병영)에서 출발한 뒤 버킹엄 궁전에서 근위병을 교대하고 다시 세인트 제임스궁전과 웰링턴 배럭으로 돌아가는 것으로 진행된다. 이곳을 찾는 사

람이 많으므로 약 1시간 30분 전에 도착해 명당이라 할 수 있는 버킹엄 궁전 앞 분수대에 자리하는 것이 좋다.

코스 : 세인트 제임스 궁전/웰링턴 배력(10:30)→버킹엄 궁전(11:00)→근위병 교대식(45분 소요)→세인트 제임스 궁전/웰링턴 배력 귀환

장소 : 버킹엄 궁전 앞

시간 : 버킹엄 궁전_4~7월 매일 11:30, 8~3월 월·수·금·일 11:00, ※홈페이지 스케줄 확인

홈페이지 :

www.householddivision.org.uk/changing-the-guard-calendar

≫퀸스 갤러리 The Queen's Gallery

버킹엄 궁전 정면 서쪽에 있는 왕실 미술관으로 1962년 개관했다. 원래 채플이 있던 곳인데 제2차 세계 대전 때 폭격으로 파괴되고 삼각형의 박공벽과 도리이식 기둥이 있는 입구 건물로 재건되었다. 왕실 소유 회화, 조각, 공예품 등을 주제에 따라 전시한다.

교통 : 버킹엄 궁전에서 바로

주소 : Buckingham Palace Rd, Westminster, London SW1A 1AA

시간 : 7월~9월 09:30~17:30, 10~6월 10:00~17:30 ※홈페이지 예약 필수

요금 : 성인 £19

홈페이지 :

www.rct.uk/visit/the-queens-gallery-buckingham-palace

≫로열 뮤스 The Royal Mews

영국 왕가를 위한 마구간으로 왕가 행차 시 사용되는 화려한 마차를 볼 수 있는 곳이다. 원래 차링 크로스에 있었다가 1820년대 이곳으로 이전하였다.

교통 : 퀸즈 갤러리에서 바로
주소 : Buckingham Palace Road, Westminster, London SW1W 0QH:
시간 : 1~3월 10:00~16:00, 3~11월 10:00~17:00 ※**홈페이지 예약 필수**
요금 : 로열 뮤스 £17
홈페이지 :
www.rct.uk/visit/the-royal-mews-buckingham-palace

세인트 제임스 궁전 St James's Palace

1531년~1535년 헨리 8세가 붉은 벽돌을 이용해 튜더 양식으로 세운 궁전이다. 궁전의 채플 로열, 게이트 하우스, 스테이트 아파트먼트의 몇몇 튜더 룸이 지금까지 남은 당시 건물이다. 1698년 화재로 화이트홀 궁전(현재 뱅퀴팅 하우스만 남음)이 소실된 후 세인트 제임스 궁전이 왕가의 공식 궁전이 되었다. 1820년 빅토리아 여왕이 버킹엄 궁전으로 옮기며 세인트 제임스 궁전은 공식 궁전의 소임을 다했다. 이곳에는 여전히 왕가 일원(프린스오브웨일스=찰스 황태자)이 머물고 있어 일반에 공개하지 않는다.

교통 : 차링 크로스(Charing Cross), 피커딜리(Piccadilly Circus) 역 등에서 궁전 방향. 도보 11분
주소 : Marlborough Rd, St. James's, London SW1A 1BS
전화 : 020-7930-4832
홈페이지 :

www.royal.uk/royal-residences-st
-jamess-palace

웨스트민스터 대성당 Westminster Cathedral

잉글랜드와 웨일스에서 가장 큰 가톨릭 성당이자 영국 가톨릭의 중심이다. 빅 벤 인근의 웨스트민스터 사원은 영국 성공회 교회임. 대성당은 1895년 착공 해 1903년 네오비잔틴 양식으로 완공 됐으나 예산 부족으로 내부 공사가 완 료되지 못해 1910년에야 봉헌식이 이 루어졌다. 건물 전면은 커다란 아치 테 마로 설계되었고 건물 왼쪽에 90m 높 이의 시계탑이 세워져 있어 눈길을 끈 다. 안으로 들어가면 제단 위에 커다란 십자가를 볼 수 있고 성화를 표현한 모자이크화도 인상적이다. 평일 17:00, 17:30, 주말 10:30, 15:30 미사 때 에 방문하면 파이프 오르간 연주에 맞 춘 성가대의 노래를 들을 수 있다.

교통 : 빅토리아 스테이션(Victoria Station) 역에서 동쪽, 대성당 방향. 도보 4분

주소 : 42 Francis St, Westminster, London SW1P 1QW

전화 : 020-7798-9055

시간 : 07:00~18:00 ※미사 시간 홈 페이지 참조, 요금 : 무료

홈페이지 :

www.westminstercathedral.org.uk

테이트 브리튼 Tate Britain

1897년 사업가 헨리 테이트(Sir. Henry Tate) 경의 소장품 전시공간으 로 개관하였다. 제2차 세계 대전 때 피해를 보아 1949년 현재의 모습으로 신축하였고 1992년 현재의 이름으로

변경되었다. 17세기 이후 영국 회화와 19세기 후반 인상파 이후의 유럽 회화, 현대 조각 등에 중점을 두고 전시하고 때때로 유료 기획전이 열린다. 상설전시 중에는 게인즈버러, 터너, 블레이크, 존 콘스테이블, 헨리 무어 등의 작품이 유명하다. 이곳 외 세인트 폴

대성당 남쪽에 테이트 모던, 세인트 아이브스와 리버풀에도 테이트 미술관이 있다.

교통 : 핌리코(Pimlico) 역에서 동쪽, 미술관 방향. 도보 9분

주소 : Millbank, Westminster, London SW1P 4RG

전화 : 020-7887-8888

시간 : 10:00~18:00

요금 : 무료, 기획전 £15 내외

홈페이지 :

www.tate.org.uk/visit/tate-britain

☆여행 팁_중고 마니아라면 자선 상점에서 쇼핑

런던 곳곳에는 옥스팜(OXFAM), 브리티시 하트 파운데이션(British Heart Foundation), 캔서 리서치 유케이(Cancer Research UK), 채러티 숍(Charity Shop) 같은 자선 상점이 있어 중고 마니아라면 들릴만하다. 이들 자선 상점은 시민들이 기부한 의류, 서적, 신발, 액세서리, 장난감 등의 물품을 판매하는데 중고가 대부분이지만 새것(?) 같은 중고도 있어 관심이 간다. 첼시 같은 부유층 거주지의 자선 상점에는 중고 명품도 심심치 않게 나오니 명품에 눈길이 간다면 방문해볼 만하다. 이곳에서 물품을 사면 이익금이 자선에 쓰이므로 일거양득의 효과도 거둘 수 있다.

옥스팜_www.oxfam.org.uk, 브리티시 하트 파운데이션_www.bhf.org.uk, 캔서 리서치 유케이_www.cancerresearchuk.org

*레스토랑&카페

난도스 빅토리아 Nando's Victoria

쇼핑센터 카디널 플레이스 내에 있는 포르투갈풍(?) 닭요리 전문점이다. 패스트푸드점 스타일로 메인인 닭요리 1개에 감자, 갈릭 브레드, 콘슬로우 같은 사이드 2개, 탄산음료나 맥주 정도 시키면 그런대로 배부른 식사가 된다. 한국처럼 양념치킨은 없지만 닭 마니아라면 로스트 닭 1마리나 반 마리에 도전해보자. 치킨버거/피타/랩도 있어 테이크아웃하거나 간단히 먹기도 좋다.

교통 : 빅토리아 역, 세인트 제임스 파크 역에서 카디널 플레이스 방향. 도보 5~6분

주소 : Cardinal Place, 17 Cardinal Walk, Westminster, London SW1E 5JE

전화 : 020-7828-0158

시간 : 11:00~22:30

메뉴 : 치킨 1/2 £7.45, 치킨 윙 5개 £5.95, 치킨버거 £6.45, 치킨 피타/랩, 샐러드, 볶음밥(스파이시 라이스) £2.50 내외

홈페이지 : www.nandos.co.uk

프레 타 망제 Pret A Manger

프랑스어로 '레디 투 런치(Ready to Lunch)' 뜻의 샌드위치 체인점이다. 줄여서 프렛(Pret)이라 부르기도 한다. 샌드위치, 초밥, 샐러드, 스프, 커피 등 간단히 먹을 때 방문하면 좋다. 런던에서 샌드위치는 런던 주민의 밥이라 할 만큼 어디서나 파는 곳을 볼 수 있지만, 이곳이 가장 신선한 샌드위치를 제공한다. 신선한 재료로 만들어 판매하고 남은 것은 다음날 판매하지 않는다.

교통 : 빅토리아 역, 세인트 제임스 파크 역에서 웨스트민스터 대성당 방향. 도보 5~6분

주소 : 143 Victoria St, Westminster, London SW1E 6RD

전화 : 020-7821-0028

시간 : 06:00~19:30, 휴무 : 토~일

메뉴 : 샌드위치 £3.5, 초밥, 샐러드,
빵 £1.5, 커피 £1.99 내외
홈페이지 : www.pret.co.uk

빔밥 £9.7, 불고기 £10.95, 짬뽕,
김치찌개(밥 포함) £9.9 내외
홈페이지 : www.limeorange.co.uk

라임 오렌지 Lime Orange

아폴로 빅토리아 극장 부근에 있어 식
사하고 뮤지컬 보러 가기 좋은 한식당
이다. 스타터로 만두, 잡채, 메인으로
비빔밥, 불고기 등이 나오는 세트메뉴
가 가성비가 높고 비빔밥이나 불고기,
김치찌개를 주문해도 괜찮다. 한국 맥
주와 소주도 있어 한잔해도 즐겁고 딜
리버루 또는 우버잇으로 배달도 가능!
교통 : 빅토리아(Victoria) 역에서 아폴
로 빅토리아 극장 방향. 도보 2분
주소 : 312 Vauxhall Bridge Rd,
Westminster, London SW1V 1AA
전화 : 020-8616-0498
시간 : 12:00~15:00, 17:00~22:30,
휴무 : 일요일
메뉴 : 세트메뉴(2코스) £18.75~, 비

리츠 레스토랑 The Ritz Restaurant

왕궁에 들어온 듯한 빅토리아풍 인테리
어가 눈길을 끄는 특급 호텔 레스토랑
이다. 이곳은 영화 〈노팅힐〉에 배우 안
나(줄리아 로버츠)가 머문 곳이기도 하
다. 조식으로 원조 잉글리시 블랙퍼스
트를 맛보거나 점심 3코스가 나오는
메인을 선택해도 괜찮다. 식사가 아니
라면 팜 코트(Palm Court)에서 애프터
눈 티를 경험해도 행복하다. 단, 드레
스코드가 있어 남자는 재킷과 넥타이,
여자는 단정한 복장이어야 하고 청바지
나 운동복 차림은 출입할 수 없다.
교통 : 그린 파크(Green Park) 역에서
호텔 방향. 도보 1분
주소 : 150 Piccadilly, St. James's,
London W1J 9BR
전화 : 020-7300-2370

시간 : 07:00~10:30, 12:30~14:30, 17:30~22:00, 애프터눈 티_11:30, 13:30, 15:30, 17:30, 19:30

메뉴 : 콘티넨탈 뷔페 블랙퍼스트 £35, 잉글리시 블랙퍼스트 £40, 런치_메인(3코스) £57~, 저녁_메인(6코스) £105, 애프터눈 티 £57 내외

홈페이지 : www.theritzlondon.com

*쇼핑

카디널 플레이스 Cardinal Place

2006년 완공된 복합상업빌딩으로 외관 전체가 유리로 덮여 있어 독특한 느낌을 준다. 보스, 망고, 자라, 막스&스펜서(M&S), 부츠 등이 있어 쇼핑하기 좋고 제이미 이탈리안 레스토랑, 난도스, 잇(EAT), 레온(Leon), 프렛(Pret), 쉑쉑버거 등이 있어 식사하기도 편리하다. 매주 목 12:00~15:00에는 푸드 마켓이 열려 덮밥, 버거 같은 길거리 음식을 맛보거나 빵, 초콜릿, 과일, 채소 등을 구입할 수 있다.

교통 : 빅토리아 역, 세인트 제임스 파크 역에서 카디널 플레이스 방향. 도보 5~6분

주소 : 1 Victoria St, Westminster, London SW1E 5JD

전화 : 020-7963-4000

시간 : 09:00~18:30, 일 12:00~18:00

홈페이지 : https://createvictoria.com

02 소호~코벤트 가든 Soho~Covent Garden

시티오브웨스트민스터의 일부인 소호는 1536년 헨리 8세 때 왕실 공원에서 농지로 개발되었고 17세기 말 소호 광장을 비롯한 상류층을 위한 저택을 세우면서 교구로 지정되었다. 이 무렵 소호의 오래된 교회 중 하나인 세인트 앤 교회가 설립되었다. 1854년 콜라라 유행으로 큰 피해를 보았고 20세기에는 런던 유흥 산업의 중심이 되기도 했다. 1980년대 이후 지역 정화가 이루어져 뮤지컬 극장과 상점, 레스토랑이 있는 문화예술 지역으로 떠올랐다.

코벤트 가든은 수도원 채소밭이 있었던 곳으로 17세기에서 1974년까지는 런던 최대 청과물 시장이 있었다. 청과물 시장이 이전한 후 시장 건물에 상점, 레스토랑 등이 들어서고 광장에서 거리 공연이 열려, 런던에서 가장 핫한 지역이 되었다.

소호와 코벤트 가든 지역을 웨스트엔드라 하며 뮤지컬 극장과 차이나타운, 내셔널 갤러리, 피카딜리 광장 등 볼거리가 많다.

▲ 교통

① 트라팔가 광장&내셔널 갤러리_차링 크로스(Charing Cross) 역
② 소호_피카딜리 서커스(Piccadilly Circus) 역, 옥스퍼드 서커스(Oxford Circus) 역, 토트넘 코트 로드 (Tottenham Court road) 역
③ 코벤트 가든_코벤트 가든(Covent Garden) 역, 레스터 스퀘어(Leicester Square) 역

▲ 여행 포인트

① 더 붐비기 전에 아침, 내셔널 갤러리에서 명화 감상!
② 웨스트엔드(레스터스퀘어 일대)에서 4대 뮤지컬 관람하기
③ 차이나타운에서 중화요리, 소호에서 커피 맛보기
④ 코벤트 가든에서 거리 공연, 쇼핑 즐기기

▲ 추천 코스

내셔널 갤러리→트라팔가 광장→피카딜리 서커스→차이나타운→소호→코벤트 가든

홀본 역 **M**

M

토트넘 코트 로드 역 **M**

존 손 경 박물관

옥스퍼드 서커스 역 **M**

리버티 **S**

소호

카나비 스트리트 ◆

코벤트 가든 역 **M**

왕립 재판소

템플 교회

리젠트 스트리트 ◆

로열 오페라 하우스
런던 교통 박물관

서머싯 하우스
코톨드 갤러리

차이나타운

레스터 스퀘어 역 **M**

뉴본드 스트리트 ◆

피카딜리 서커스 역 **M**
피카딜리 서커스

레스터 광장 ◆

코벤트 가든
세인트 폴 교회

템플 역

내셔널 갤러리
내셔널 포트레이트 갤러리

세인트 마틴 교회

포트넘&메이슨 **S**

트라팔가 광장 ◆

M 차링크로스 역
T

클레오파트라의 바늘 ◆

M
그린 파크 역

애드머럴티 아치 ◆

임뱅크먼트 역 **M**

템스강 ◆

로열 내셔널 시어터 ◆

세인트 제임스 궁 ◆

◆ 그린 파크

세인트 제임스 파크

호스 가드 퍼레이드 ◆

트라팔가 광장 Trafalgar Square

1805년 영국 함대와 스페인-프랑스

함대 간에 벌어진 트라팔가 해전에서 승리한 것을 기념한 광장이다. 1830년 존 내시가 설계하고 1841년 완공되었다. 광장 중앙의 약 50m 원형 탑 위에 트라팔가 해전의 영웅 넬슨 제독 조각상에 세워져 있고 1867년 원형 첨탑 주위로 4마리의 청동 사자상이 추가되어 어린이들의 놀이터 역할을 한다. 트라팔가 광장에서는 런던의 주요 행사가 열리고 간혹 정치 단체나 노동 조합의 시위가 벌어지나 대체로 구호를 외치는 것에서 마무리되어 주변을 둘러보는 데 어려움이 없다. 트라팔가 광장 앞쪽 횡단보도 부근에서 사진 촬영하면 넬슨 조각상과 사자상, 내셔널 갤러리를 모두 담을 수 있다. 때때로 광장에서 저글링, 마술, 브레이크 댄스 같은 퍼포먼스가 벌어지기도 한다.

교통 : 차링 크로스(Charing Cross) 역에서 바로

주소 : Trafalgar Square, Westminster, London WC2N 5DN

전화 : 020-7983-4750

☆여행 이야기_영국의 명량 해전인 트라팔가 해전

프랑스의 나폴레옹 1세가 유럽 전역을 호령하고 있을 때 영국만은 강력한 해군이 있어 넘볼 수 없었다. 나폴레옹 1세는 스페인 해군과 연합하여 프랑스-스페인 연합함대를 구성하고 영국 공격을 계획했다. 이를 안 영국 해군이 스페인 남부 연안 트라팔가곶에서 27척의 군함으로 33척의 프랑스-스페인 연합함대를 기습하였고 단 한 척의 손실 없이 연합함대 22척을 침몰시켰다. 영국 해군은 트라팔가 해전에서 대승을 거두었으나 해전을 지휘하던 허레이쇼 넬슨 제독은 전투 중 사망한다. 마치 명량 해전의 이순신 장군처럼. 트라팔가 해전의 승리로 영국은 제해권을 차지하고 세계로 뻗어 나가 해가 지지 않는 대영제국을 건설할 수 있었다.

내셔널 갤러리 The National Gallery

1824년 개관한 미술관으로 13세기 중반~20세기 초의 유럽 회화 약 2,300여 점을 소장, 전시한다. 1833~1837년 트라팔가 광장 옆으로 이전했고 1991년에는 본관에 사인즈버리 윙(Sainsbury Wing) 건물이 추가되었다. 본관은 웨스트 윙(West Wing), 이스트 윙(East Wing), 노스 윙(North Wing)으로 구성된다. 갤러리 입구는 본관 정면에 2곳, 사인즈버리 윙에 1곳이 있으나 보통 사인즈버리 윙의 입구를 이용한다. 전시는 시대별로 레벨 2층의 사인즈버리 윙 51~66실에 1250~1500년 작품, 웨스트 윙 2~14실에 1500~1600년 작품, 노스 윙 15~32, 37실에 1600~1700년 작품, 이스트 윙 33~46실에 1700~1900년 작품을 전시한다.

주요 작가와 회화별로는 사인즈버리 윙의 레오나르도 다 빈치(51실), 보티첼리(58실), 라파엘로(60실), 네덜란드·프랑스 회화(62실), 독일 회화(63실), 웨스트 윙의 미켈란젤로(8실), 베네치아

화파(10실), 브루겔(12실), 노스 윙의 베르메르(16실), 렘브란트(27실), 루벤스(28실), 반 다이크(30실), 이스트 윙의 윌리엄 터너 · 레이놀즈 · 콘스테이블(34실), 들라크루아(41실), 고흐(45실), 모네 · 세잔(46실) 등으로 구분되니 원하는 작가를 찾아가 보자.

관람요령은 사인즈버리 윙의 입구로 들어가, 지도(기부금 £1)를 챙기고 원하는 작가가 있는 전시실 번호에 동그라미를 친 뒤, 시대순인 사인즈버리 윙→웨스트 윙→노스 윙→이스트 윙 순서로 둘러보면 된다. 아침 개장 시간이 아니면 종일 미술관 내부가 매우 북적여서 작품을 제대로 감상하거나 사진(플래시 금지) 찍기 어려우니 참고! 전시 작품이 매우 많으니 중간에 의자에 앉아 쉬면서 관람하고 관람할 때나 쉴 때 소지품 보관에도 유의하자. 미술관이 북적임에도 유럽의 명화를 감상하고 싶다면 반드시 방문하기를 추천!

교통 : 차링 크로스(Charing Cross) 역에서 트라팔가 광장 지나, 바로

주소 : Trafalgar Square, London WC2N 5DN

전화 : 020-7747-2885

시간 : 10:00~18:00(금 ~21:00), 휴무 : 1월 1일, 12월 24~26일

요금 : 무료 *특별전 유료

홈페이지 : www.nationalgallery.org.uk

내셔널 포트레이트 갤러리 National Portrait Gallery

1856년 개관한 국립 초상화 박물관으로 1896년 현재의 자리로 이전했다. 세계 최초의 초상화 전문 미술관으로 그라운드 플로어(지상층)에서 세컨드

플로어(2층)까지 영국 왕족, 예술가, 영화배우, 가수 등 유명 인물을 그림을 보는 재미가 있다. 초상화는 중세의 유화부터 팝아트 스타일까지 다양한 양식으로 그려져 있어 흥미를 끈다. 주요 초상화로는 1층과 2층 전시실의 넬슨 제독, 웰링턴 장군, 시인 바이런, 엘리엇 등. 단, 미술관 내에서 사진 촬영이 금지되어 있으니 참고!

교통 : 차링 크로스(Charing Cross) 역에서 내셔널 갤러리 방향, 바로

주소 : St. Martin's Pl, London WC2H 0HE

전화 : 020-7306-0055

시간 : 10:00~18:00(목~금 ~21:00),

휴무 : 1월 1일, 12월 24~26일

요금 : 무료

홈페이지 : www.npg.org.uk

세인트 마틴 교회 St Martin in the Fields

내셔널 갤러리 동쪽에 있는 교회로 1222년 창건되었다. 현재의 코린트 양식의 그리스 신전을 닮은 주랑 현관과 첨탑이 있는 건물은 1700년 제임스 기브스가 만들었다. 내셔널 갤러리나 트라팔가 광장을 둘러본 뒤 잠시 쉬어가기 좋고 때때로 교회에서 열리는 클래식 음악회에 참석해도 괜찮다. 아치형 천장이 있는 지하 카페(Café in the Crypt)에서 커피를 마시거나 식사를 해도 즐겁다.

교통 : 차링 크로스(Charing Cross) 역에서 교회 방향, 바로

주소 : Trafalgar Square, London WC2N 4JJ

전화 : 020-7766-1100

시간 : 08:30~13:00, 14:00~18:00 (토 09:30~18:00, 일 15:30~17:00)

홈페이지 :

www.stmartin-in-the-fields.org

애드머럴티 아치 Admiralty Arch

1912년 빅토리아 여왕의 업적을 기리기 위해 건축가 아스톤 웹이 건물 중앙에 3개의 아치형 문이 있는 건물로 설계했다. 3개의 아치형 문 중 중앙의

문은 특별한 행사 있을 때만 개방된다. 에드워드 왕조를 대표하는 건축물 중 하나로 문을 통과하면 버킹엄 궁전으로 향할 수 있다.

교통 : 차링 크로스(Charing Cross) 역에서 애드머럴티 아치 방향, 바로

주소 : The Mall, London SW1A 2WH

전화 : 020-7276-5000

피카딜리 서커스 Piccadilly Circus

뉴욕에 세계적인 기업들의 광고판으로 유명한 타임스퀘어가 있다면 런던에는 피카딜리 서커스가 있다고 할 수 있다. 1890년 런던 최초로 조명 광고가 시작된 피카딜리 서커스는 런던 최대의 번화가로 런던 여행의 출발지이기도 하다. 피카딜리 서커스 서쪽으로 쇼핑가인 리젠트 스트리트, 동쪽으로 차이나타운과 트라팔가 광장, 북쪽으로 소호, 남쪽으로 버킹엄 궁전이 위치한다.

피카딜리(Piccadilly)라는 명칭은 17세기 유행한 피카딜(Piccadil)이란 양복 레이스 칼라에서 유래한 것으로 광장 북쪽, 이것을 개발한 양복점 주인의 집을 피카딜 하우스라고 부른 것에서 광장 명칭이 비롯되었다. 서커스(Circus)는 원형 광장, 원형 교차로라는 뜻으로 이곳에는 5개의 길이 지난다. 광장 중앙의 사랑의 화살을 든 에로스상은 박애주의자 샤프츠버리 경을 기념하여 세워졌다고. 런던 여행객이라면 한 번쯤 에로스상이 있는 광장에서 피카딜리 서커스 광고판을 배경을 런던 인증샷을 찍어보길 바란다.

교통 : 피카딜리 서커스(Piccadilly Circus) 역 하차, 바로

주소 : Greater London, London W1J

차이나타운 Chinatown

피카딜리 서커스 동쪽에 있는 유럽 최대 규모의 차이나타운이다. 제러드 스트리트(Gerrard St.)를 중심으로 남쪽의 라일 스트리트(Lisle St.), 서쪽의 워도어 스트리트(Wardour St)에 많은

중식당, 중국 슈퍼마켓, 상점 등이 위치한다. 제러드 스트리트 동서쪽에 중화문이 있어 한눈에 차이나타운인 것을 알 수 있고 도처에 중국어 간판이 보이므로 런던 속의 작은 중국을 실감한다.

저렴한 가격에 중식을 맛볼 수 있는 중식 뷔페가 인기를 끌고 중국 식재료, 한국 라면, 고추장을 구할 수 있는 중국 슈퍼마켓에서는 장을 보기도 좋다. 춘절(설날)에는 중국 전통 축제가 열려 사자춤을 구경할 수도 있다. 차이나타운 인근에 몇몇 한국 식당이 있으니 중국 음식이 입맛이 맞지 않는 사람은 한국 식당을 찾아보자.

교통 : 피카딜리 서커스 역에서 차이나타운 방향, 도보 4분
주소 : Gerrard St, London W1D 6JQ
홈페이지 : https://chinatown.co.uk

레스터 광장 Leicester Square
피카딜리 서커스 역과 레스터 스퀘어 역 사이에 있는 광장으로 17~18세기에는 정원을 중심으로 귀족들의 저택이 둘러싸고 있었다고 한다. 현재는 복합 영화관 오데온(Odeon), 아이맥스 영화관, 기념품점, 레스토랑이 등이 있는 곳이자 인근에 차이나타운과 코벤트 가든이 있어 늘 관광객으로 붐비는 곳이다. 광장 남쪽의 정원 중앙에 셰익스피어의 동상이 세워져 있고 동상 뒤로 공식 뮤지컬과 연극 할인 티켓 판매점인 티케이티에스(tkts)도 보인다. 오후가 되면 광장에서 브레이크 댄스, 마술 같은 거리 퍼포먼스가 열려 흥을 돋우기도 한다. 늘 사람들로 붐비는 곳임으로 소지품 보관에 유의한다.

교통 : 레스터 스퀘어(Leicester Square) 역에서 레스터 광장 방향, 바로/피카딜리 서커스 역에서 Coventry St. 이용, 레스터 광장 방향, 도보 4분/차이나타운 남쪽으로 바로
주소 : Leicester Square, London WC2H 7DE

코벤트 가든 Covent Garden
17세기부터 1974년까지 영국 최대의 청과물 시장이 있었던 곳이다. 1974년 시장이 교외로 이전한 뒤 애플 마켓, 주빌리 마켓, 레스토랑, 상점 등이 들

어섰다. 코벤트(Covent)라는 명칭은 웨스트민스터 대성당의 수녀원 '코벤트(Convent)'에서 유래되었다. 코벤트 가든 내 애플 마켓에서 기념품, 공예품, 액세서리, 그림, 골동품, 공예품 등을 살 수 있고 레스토랑과 상점이 있는 사우스 홀 코트야드에서는 때때로 흥겨운 음악회가 열리기도 한다.

코벤트 가든 주위로는 거리 공연인 버스킹, 저글링, 마술 등 다양한 퍼포먼스가 열려 온종일 시끌벅적한 분위기를 연출하고 레스토랑이나 카페에서 식사나 맥주 한잔하기도 좋다. 코벤트 가든 인근의 로열 오페라 하우스나 런던 교통 박물관에 들러도 괜찮다.

교통 : 코벤트 가든(Covent Garden) 역에서 코벤트 가든 방향, 도보 2분

주소 : 41 Henrietta St, London WC2E 8RF

시간 : 10:00~21:00(토 09:00~20:00, 일 11:30~18:00)

홈페이지 :

www.coventgarden.london

로열 오페라 하우스 Royal Opera House

1732년 처음 건립되었고 이후 두 번의 화재로 건물이 소실되어 재건되었다. 현재의 건물은 1999년 리모델링 후 재개장한 것이다. 대극장인 메인 스테이지(Main Stage)는 1946년 창설된 로열 오페라 극단, 중극장인 린버리 스튜디오 시어터(Linbury Studio Theatre)는 1956년 창설된 로열 발레 극장의 주 공연장으로 쓰인다. 주요 공연작으로는 오페라 〈카르멘〉, 발레 〈백조의 호수〉 등이 있다. 인기 작품은 조기 매진되거나 비싼 좌석만 남는 경우

가 있으니 관람을 원한다면 홈페이지를 통해 예매를 서두르자. 좌석은 지상층 (Orchestra Stalls/Stalls Circle), 1 층(Donald Gordon Grand Tier), 2층 (Balcony), 3층(Amphitheatre)로 구분되는데 위층 좌석 중 중앙 좌석은 여전히 비싸니 참고! 중앙이 아닌 양쪽 측면 좌석이 저렴하다.

교통 : 코벤트 가든역에서 코벤트 가든·로열 오페라 하우스 방향, 도보 2분
주소 : Bow St, London WC2E 9DD
전화 : 020-7240-1200
요금 : 현대무용 £15~£25, 오페라 £11~£215 내외 ※홈페이지 예약 필수
홈페이지 : www.roh.org.uk

런던 교통 박물관 London Transport Museum

1980년 개장했고 2005년~2007년 리모델링을 거쳐 재개장했다. 주요 전시품은 증기 기관차, 옛날 교통 관련 시설, 빨간 더블데크 버스(이층버스)와 블랙캡(택시) 같은 런던의 교통 시설이 있고 지하철인 언더그라운드 체험장도 어린이들의 흥미를 끈다. 전체적으로 어린이 취향이어서 성인 관람객은 재미가 없을 수도 있다. 어릴 적 빨간 더블데크 버스에 대한 환상이 있다면 찾아볼 만한 곳!

교통 : 로열 오페라 하우스에서 바로
주소 : Covent Garden Piazza, London WC2E 7BB
전화 : 020-7379-6344
시간 : 10:00~18:00(금 11:00~18:00), 휴무 : 12월 24일~26일
요금 : 연간 패스_£24.5 ※입장 시간 예약 필수, 17세 이하 무료
홈페이지 : www.ltmuseum.co.uk

세인트 폴 교회 St Paul's Church

1663년 세워진 교회로 코벤트 가든 쪽 후문은 유려한 코린트 양식이 아닌 다소 투박한 토스카나 양식의 주랑 현관을 보인다. 극장이 많은 웨스트엔드

에 위치해 배우들의 교회(The Actors Church)로도 알려졌다. 후문의 주랑 현관 앞에서는 매일 저글링, 마술 같은 퍼포먼스가 벌어진다. 교회 입구는 후문 반대쪽에 있고 내부는 특별한 장식 없이 수수한 편!

교통 : 코벤트 가든 역에서 코벤트 가든·세인트 폴 교회 방향, 도보 2분

주소 : Bedford St, London WC2E 9ED

전화 : 020-7836-5221

시간 : 08:30~17:00(일 09:30~13:00), 휴무 : 토요일, 요금 : 무료

홈페이지 : www.actorschurch.org

서머싯 하우스 Somerset House

템플 역 옆 템스 강가에 있는 대저택으로 1551년 에드워드 6세 때 섭정을 한 서머싯 공작이 세웠다. 대저택은 우아한 르네상스 양식으로 대저택 전면에 입구가 있는 '一'자 형 건물, 그 뒤로 광장이 있는 'ㄷ'자 형 본 건물이 이어진다. 현재 입구 건물에 인상주의 회화

컬렉션을 자랑하는 코톨드 갤러리, 본 건물에 전시장과 정부 관계 기관 등이 입주해 있다. ※예전, 장식 미술품을 전시하던 길버트 컬렉션은 켄싱턴으로 이전!

교통 : 템플(Temple) 역에서 서머싯 하우스 방향, 도보 3분

주소 : Strand, London WC2R 1LA

전화 : 020-7845-4600

시간 : 10:00~18:00, 휴무 : 12월 24일~26일, 요금 : 무료

홈페이지 : www.somersethouse.org.uk

≫코톨드 갤러리 The Courtauld Gallery

1932년 영국의 미술연구소인 코톨드 미술연구소(The Courtauld Institute of Art)의 부속 기관으로 개관하였다. 초기 르네상스에서 20세기 초에 이르는 약 250여 점의 회화 작품을 소장하고 있고 그중에 특히 인상파와 후기

인상파 작품이 유명하다. 이들 작품을 볼 수 있는 것은 사업가 사무엘 코톨드, 세일런 백작, 리 자작 같은 이들이 미술품을 기증하여 가능했다.

주요 작품으로는 크라나흐의 〈아담과 이브〉, 루벤스의 〈대 얀 브뤼겔 가족〉, 모딜리아니의 〈앉아 있는 여인〉, 르누아르의 〈신발 끈 묶는 여인〉, 마네의 〈폴리 베르제르의 술집〉, 고갱의 〈꿈〉, 고흐의 〈귀에 붕대를 감은 자화상〉 등. 사람들로 붐비는 내셔널 갤러리와 달리 한적한 분위기에서 작품을 감상할 수 있어 좋다.

교통 : 서머싯 하우스 입구 건물 내, 바로

주소 : Somerset House, Strand, London WC2R 0RN

전화 : 020-7848-2526

시간 : 10:00~18:00, 휴무 : 12월 25일~26일 ※**홈페이지 예약 필수**

요금 : 주중, 기부 포함 £12, 기부 불포함 £10. ※18세 이하 무료

홈페이지 : http://courtauld.ac.uk

클레오파트라의 바늘 Cleopatra's Needle

임뱅크먼트 역과 워털루 다리 사이, 템스강 변에 있는 높이 21m의 오벨리스크로 기원전 1450년경 것이다. 1819년 이집트 총독이 조지 4세의 대관을 기념하여 보냈으나 거대한 크기와 무게 때문에 정작 1830년 왕은 오벨리스크를 보지도 못하고 사망했고 1877년 왕 사후 47년 만에 런던에 도착했다.

교통 : 매트로 임뱅크먼트(Embankment) 역에서 클레오파트라의 바늘 방향, 도보 3분

주소 : Victoria Embankment, London WC2N 6

*레스토랑&카페

치체티 Cicchetti

이탈리안 레스토랑으로 정식명칭은 산 카를로 치체티(San Carlo Cicchetti) 지만 줄여서 치체티라고 한다. 안쪽에 바 좌석과 테이블 좌석이 있는데 피카딜리 지역이 시내이므로 점심시간 빈자리를 찾기 힘들다. 예약 필수! 메뉴는 복잡해 보이지만 파스타, 피자, 미트, 피시 등 카테고리별로 나뉘어 있어 주문하는 데 큰 어려움이 없다. 보통 샐러드나 식전 빵에 메인으로 파스타나 피자(큼), 미트를 시키면 되고 스타터(애피타이저) 없이 메인만 주문해도 된다.

교통 : 피카딜리 서커스(Piccadilly Circus) 역에서 도보 2분
주소 : 215 Piccadilly, St. James's, London W1J 9HL
전화 : 020-7494-9435
시간 : 08:00~23:30
메뉴 : 램 커틀렛 £12.15, 비프 립 £10.95, 치킨 레그 £10.95, 볼로네즈 파스타 £8.15, 마르게리타 피자 £6.15 내외
홈페이지 : www.sancarlocicchetti.co.uk

쇼류 라멘 Shoryu Ramen Soho

미슐랭 가이드 추천 레스토랑이었던 곳으로 돈고츠 라멘 전문이다. 돈고츠 라멘은 하카타 특산 라멘으로 돼지 뼈를 우린 육수를 낸다. 쇼류 강소, 코테리 하카타, 김치 등 여러 돈고츠 라멘이 있으므로 입맛에 따라 주문하면 되고 사이드 메뉴로 교자, 사시미 등을 시킬 수 있는데 일부 교자에 대한 평이 미미하므로 라멘에 집중하는 것이 나을 듯! 사이드 메뉴 대신 밥(스팀라이스)을

시키든지, 시원한 기린 맥주 하나 시키는 게 낫다.

교통 : 피카딜리 역에서 라멘집 방향. 도보 1분

주소 : 3 Denman St, Soho, London W1D 7HA

시간 : 11:15~24:00

메뉴 : 쇼류 강소/코테리 하카타/김치 돈고츠 라멘 £11.9~, 미소/카레 라멘 £12.9 내외

홈페이지 : www.shoryuramen.com

아랑 레스토랑 Arang Restaurant

소호 골든 스퀘어 공원 옆에 있는 한식당으로 주위가 조용하고 내부도 깔끔해 식사하기 좋다. 간단히 먹을 거면 비빔밥이나 갈비탕, 소주 한잔할 거면 불고기, 양껏 먹겠다면 세트 메뉴를 시키자. 반찬으로 나오는 김치, 깍두기가 반갑고 메인으로 나오는 요리도 그런대로 맛이 있다.

교통 : 피카딜리 서커스 역에서 골든 스퀘어(공원) 방향. 도보 4분

주소 : 9 Golden Square, Soho, London W1F 9HZ

전화 : 020-7434-2073

시간 : 12:00~15:00, 16:30~23:00

메뉴 : 세트메뉴_A~D £27~£37, 부대전골 £30, 갈비탕 £10.9, 비빔밥 £10.9, 불고기 £27 내외

디슘 Dishoom Carnaby

코벤트가든, 쇼디치, 킹스 크로스 등에 분점이 있는 인디안 레스토랑이다. 메뉴의 그릴과 비리야니(쌀 요리), 루비 머리(카레) 같은 카테고리가 메인이고 샐러드, 롤, 플레이트 같은 카테고리가 사이드 메뉴다. 그릴의 치킨 티카, 시시케밥, 마살라 프라운(새우), 루비 머리의 치킨 루비(카레) 등은 부담 없이 먹을 만하고 조금 낯선 비리야니 쌀 요리도 그런대로 도전해볼 만 하다. 사이드의 메뉴는 사모사, 난, 샐러드 정도가 만만하다. 드링크로 요구르트 음료인 라시를 맛보아도 좋다. 블랙퍼스트 메뉴도 있어 아침에 난을 카레에

찍어 먹어도 즐겁다.

교통 : 옥스퍼드 서커스(Oxford Circus) 역에서 함리스 뒤쪽, 도보 4분
주소 : 22 Kingly St, Soho, London W1B 5QB
전화 : 020-7420-9322
시간 : 08:00~23:00, 금 ~24:00, 토 09:00~24:00, 일 ~23:00
메뉴 : 치킨 티카 £8.5, 시시 케밥 £8.7, 램촙 £12.9, 램 사모사 £5.2, 난 £2.9 내외
홈페이지 : www.dishoom.com/carnaby

엠더블유 뷔페 MW Buffet

중식 뷔페로 퀸 시어터 건너편에 위치하고 차이나타운 입구의 미스터 우 뷔페(28 Wardour St)도 같은 회사에서 운영한다. 식당에 입장해 먼저 지상층이나 지하에 자리를 잡고 지상층에서 새우, 닭튀김, 볶음국수, 볶음밥, 두부, 채소볶음, 과일 등 45가지 이상의 음식 중 원하는 것을 접시에 담으면 된다. 음료 따로 주문! 점심, 저녁 시간에 사람이 매우 많고 혼잡하니 소지품 보관에 유의! 음식 맛은 생각하지 말고 양을 채우는 곳! 진짜 중식을 즐기고 싶은 사람은 차이나타운 거리의 중식당으로 갈 것!

교통 : 피카딜리 서커스 역에서 뷔페 방향. 도보 4분
주소 : 58-60 Shaftesbury Ave, London W1D 6LS
전화 : 020-7287-8883
시간 : 12:00~23:30
메뉴 : MW_£11.95, Mr. Wu_£7.95
홈페이지 : http://mwbuffet.co.uk

피자 익스프레스 Pizza Express

입맛 없고 새로운 메뉴에 머리 아프지 않고 싶다면 피자 체인점에 들려 잘 구워진 피자를 맛보는 것도 괜찮다. 피자는 도우(피자 빵)가 두툼한 클래식부터 도우가 얇은 로마나 피자, 브로콜리

(?)가 올라간 레가라 피자까지 다양하고 사이드 메뉴로 파스파라고 볼 수 있는 리가토니, 가볍게 먹기 좋은 샐러드도 군침이 돈다. 음료는 콜라 한 병 시켜 나눠 먹어도 상관없다. 간혹 종업원이 노골적으로 팁을 달라고 하는 경우가 있는데 내키지 않으면 주지 않아도 된다. 다른 레스토랑도 마찬가지!

교통 : 레스터 스퀘어(Leicester Square) 역에서 바로

주소 : 80-81 St Martin's Ln, London, WC2N 4AA

전화 : 020-7836-8001

시간 : 11:30~24:00, 일 ~23:30

메뉴 : 마르게리타 피자 £9.95, 베네치아 피자 £12.45, 주치니 린구네(파스타) £13.75, 그랜드 치킨 시저(샐러드) £12.95 내외

홈페이지 : www.pizzaexpress.com

스테이크&코 Steak&Co.

스테이크 전문점으로 두툼한 스테이크를 맛보기 좋은 곳이다. 립아이, 설로인(등심), 필렛 등 스테이크를 고른 뒤 스테이크와 함께 먹을 셰이크(씨솔트, 머스터드), 소스(페퍼, 베어네이즈), 버터(갈릭&칠리, 머스터드)도 선택한다. 달궈진 돌판에 굽는 스테이크가 먹음직스럽게 보이고 추가로 메인 코스 카테고리에서 치킨 알프레도(파스타), 샐러드 등을 주문해도 괜찮다. 런치 메뉴는 1~3 코스 요리가 있다.

교통 : 레스터 스퀘어 역에서 코벤트 가든 방향, 도보 5분

주소 : 4-6 Garrick St, London WC2E 9BH

전화 : 020-7379-0412

시간 : 월~목 12:00~23:30, 금~토 10:00~23:30, 일 ~22:30

메뉴 : 런치_원 코스 £6.95, 투 코스 £23, 쓰리 코스 £29 / 10온스_필렛 £35, 설로인 £26, 립아이 £25, 럼프 £22 내외

홈페이지 :
www.steakandcompany.co.uk

파이브 가이즈 Five Guys

오바마 미국 대통령이 한 인터뷰에서 언급해 오바마 버거라 불리는 곳! 두꺼운 패티 2장 기본으로 깔고 토마토와

양상추에 머스터드 소스까지 있어 한 개만 먹어도 배부른 버거! 양 적은 사람은 패티 1장의 리틀 버거 선택. 버거 주문 시 토핑을 골라야 하는데 귀찮으면 이것저것 알아서 넣어주는 올더웨이(All the Way)라 하면 된다. 파이브 가이즈 또는 케이준 스타일의 프렌치 프라이에 맥주 한잔해도 즐겁고 땅콩은 무한 리필!

교통 : 레스터 스퀘어 역에서 도보 1분

주소 : 1-3 Long Acre, London WC2E 9LH

전화 : 020-7240-2057

시간 : 월~목 11:00~23:30, 금~토 ~24:00, 일 ~22:30

메뉴 : 버거 £7~8, 샌드위치 £4~5, (핫)도그 £5~7, (포테이토)프라이 £3~5 내외

홈페이지 : www.fiveguys.co.uk

바라피나 Barrafina

미슐랭 가이드에서 1스타를 받은 타파스 레스토랑이다. 타파스(Tapas)는 에스파냐(스페인) 전채 요리로 타파는 '덮개'라는 뜻! 레스토랑은 바 형태로 되어있어 일부는 긴 테이블에 합석해야 한다. 메뉴는 미트, 콜 미트, 씨푸드 카테고리가 메인인데 자세히 보면 재료를 알 수 있어 주문하는 데 큰 어려움이 없다. 조금 민망하지만 다른 사람들 먹는 것을 보고 선택해도 나쁘지 않다. 사이드로 토르티야(옥수수 빵떡), 샐러드 등을 주문해도 괜찮고 스페인 남부 식전주인 셰리주(백포도주)를 마셔도 즐겁다.

교통 : 코벤트 가든(Covent Garden) 역에서 도보 3분

주소 : 43 Drury Ln, Covent Garden, London WC2B 5AJ

시간 : 12:00~15:00, 17:00~23:00, 일 13:00~15:30, 17:30~22:00

메뉴 : 대구 요리(Cold Meat Platter) £15.5, 오징어 튀김(Octopus with Capers) £12.5, 양념 닭다리

(Chicken Thigh~) £12, 양고기(Milk Fed Lamb) £14.5 내외

홈페이지 : www.barrafina.co.uk

아이비 마켓 그릴 The Ivy Market Grill

코벤트 가든 인근에 있는 레스토랑으로 여느 레스토랑처럼 한쪽엔 바, 다른 한쪽에 테이블이 마련되어 있다. 메뉴의 중간 위쪽부터 스타터, 그 아래가 메인인 생선, 스테이크 요리가 보인다. 영국 대표 메뉴 피시&칩스를 맛보지 못했다면 이곳에서 맛보아도 좋고 아침이라면 소시지, 베이컨, 베이글 등 푸짐하게 나오는 진짜 잉글리시 블랙퍼스트를 먹어보자. 아니면 스테이크가 정답이다.

교통 : 코벤트 가든 역에서 도보 3분

주소 : 1a Henrietta St, London WC2E 8PS

전화 : 020-3301-0200

시간 : 월~목 08:00~23:30, 금~토 ~24:00, 일 09:00~22:00

메뉴 : 스테이크&에그&칩 £14.5, 설로인 스테이크 £23.5, 피시&칩스 £14.5, 풀잉글리시 블랙퍼스트 £13.5, 애프터눈 티 £19.75 내외

홈페이지 : https://theivymarketgrill.com

*쇼핑

옥스퍼드 스트리트 Oxford Street

런던 제일의 쇼핑가로 토트넘 코트 로드 역에서 옥스퍼드 서커스 역을 지나 마블 아치 역에 이르는 거리다. 이 거리에는 셀프리지, 데번햄스, 존 루이스 같은 백화점은 물론 프라이마크, 자라, 포에버21, 유니클로, H&M, 망고 같은 패스트패션(SPA)점도 즐비하다. 이 밖에 나이키, 아디다스, 스포츠 다이렉트 같은 스포츠웨어점이나 클락스, 알도 같은 신발 상점, 디즈니 스토어 같은 캐릭터숍도 눈에 띄어 전천후 쇼핑가라고 할 수 있다.

교통 : 토트넘 코트 로드(Tottenham Court Road) 역, 옥스퍼드 서커스(Oxford Circus) 역. 마블 아치(Marble Arch) 역에서 바로

위치 : Oxford Street

≫막스&스펜서 Marks & Spencer

Marble Arch

1884년 설립된 영국 대표 백화점 중 하나로 대중 친화적인 상품이 많은 곳이다. 마블 아치점은 런던에서 가장 큰 막스&스펜서 매장으로 여성패션, 란제리, 화장품, 남성패션, 아동패션, 가정용품, 가구 등 없는 상품 빼고 다 있다. 특히 자체 상표를 붙인 PB상품이 가성비 높아 인기인데 편안한 브라렛 세트, 편안하면서 독특한 디자인의 신발, 영국적인 문양이 프린트된 에코백 등이 인기! 쇼핑 후에는 레스토랑 바비큐&그릴(BBQ&Grill), 선데이 로스트에서의 고기 요리도 먹을 만하다. 홍차, 초콜릿, 쿠키, 소스, 디저트 등 식품에 관심 있다면 셀프리지 건너편 웨스트원 쇼핑센터 내 막스&스펜서 식품관(Westone Shopping Centre)으로 가 보아도 좋다.

교통 : 마블 아치(Marble Arch)역에서

바로

주소 : Marble Arch, 458 Oxford Street, London W1C 1AP

전화 : 020-7935-7954

시간 : 09:00~21:00, 일 12:00~18:00

홈페이지 : www.marksandspencer.com

교통 : 마블 아치(Marble Arch)역에서 도보 3분

주소 : 499~517 Oxford St, Mayfair, London W1K 7DA

전화 : 020-7495-0420

시간 : 08:00~22:00, 일 11:30~18:00

홈페이지 : www.primark.com

≫프라이마크 Primark Oxford Street West

대형 패스트패션(SPA)점으로 이곳은 옥스퍼드 스트리트 웨스트점이고 동쪽 토트넘 코트 로드역 인근에 옥스퍼드 스트리트 이스트점이 있다. 원피스, 투피스 같은 여성 패션, 재킷, 셔츠 같은 남성 패션, 어린이 패션, 신발, 가방, 액세서리, 화장품 등 값싸고 다양한 상품이 있어 쉽게 자리를 뜨지 못하게 한다. 독특한 프린트의 티셔츠나 메이크업 화장품 컨투어 키트, 인조 손톱, 에코백, 스니커즈 등은 쇼핑리스트에 올려도 괜찮은 품목!

≫셀프리지 Selfridges London

1909년 헨리 고든 셀프리지가 설립한 영국 대표 백화점 중 하나. 셀프리지는 미국 시카고의 마셜필드 백화점 지배인 출신으로 런던 옥스퍼드 거리에 백화점을 세우고 미국식 경영방식으로 해러즈, 화이틀리 백화점과 경쟁하였다. 화이틀리가 셀프리지에 인수되어 해러즈와 백화점계의 양대 산맥을 이룬다. 패션 부분의 세계적인 트렌드 세터로 명성이 높다.

매장은 와인 숍과 액세서리 숍이 있는 LG층(지하), 유명 화장품 메이커가 가득한 G층(지상층), 남성 패션의 1층,

여성패션의 2~3층, 장난감과 서적, 식당가가 있는 4층으로 되어 있다. 아이쇼핑만으로 시간이 부족하고 사고 싶은 것이 많아 지갑을 자꾸 열어보게 된다. 명품숍은 세계 각국에서 온 쇼핑객으로 도떼기시장을 연상케 하는 것도 흥미로운 부분! 쇼핑을 마치고 LG층의 돌리 시스터즈에서 애프터눈 티를 즐겨도 괜찮다. 백화점 주변으로 갭(Gap), 프렌치 커넥션, 아디다스, 자라 매장이 있으니 지나는 길에 들려보자.

※인근 1813년 설립된 데번함스(Debenhams)는 운영난으로 2020년 폐업!

교통 : 본드 스트리트(Bond Street) 역에서 도보 4분

주소 : 400 Oxford St, Marylebone, London W1A 1AB

전화 : 0800-123-400

시간 : 09:30~21:00, 일 11:30~18:00

홈페이지 : www.selfridges.com

≫존 루이스 John Lewis

1864년 설립된 중저가 백화점으로 패션은 물론 가정과 정원용품, 가구와 조명, 전자제품 등에 중점을 둔 곳이다. 요리 마니아라면 다양한 무쇠솥과 프라이팬, 테이블웨어, 커피메이커 등이 있는 주방용품 코너(지하 1층)에서 떠나기 힘들고 아이들 둔 주부라면 원단과 디자인 좋기로 소문난 유아와 어린이 패션 코너(4층)에서 지갑을 열기 바쁘다. 한국에서 보기 힘든 오디오와 전자제품, 여행용품(5층)도 관심이 간다. 쇼핑 후에는 백화점 택스리펀드 사무실에서 바로 택스리펀드를 받는 것이 편리하다. 화장실은 층마다 있지만, 일반인은 찾기 힘 들므로 직원에게 묻는 게 더 빠르다.

교통 : 옥스퍼드 스트리트(Oxford Street) 역에서 도보 3분

주소 : 300 Oxford St, Marylebone, London W1C 1DX

전화 : 020-7629-7711

시간 : 월~토 09:30~20:00, 목 ~21:00, 일 12:00~18:00

홈페이지 : www.johnlewis.com

사우스 몰튼 스트리트 South Molton Street

웨스트 원 쇼핑센터 옆의 쇼핑가로 보행자 거리여서 산책하며 휘슬, 쟈딕&볼테르, 제라드 다렐, 이톤, 마지 같은 부티크와 패션숍을 둘러보기 좋다. 거

리 끝에서 좌회전하면 뉴본드 스트리트로 명품숍이 즐비한 쇼핑가다. 거리 입구, 웨스트 원 쇼핑센터에는 막스&스펜서 식품관, 수제화&가방 상점 러셀&브롬리, 스포츠웨어숍 JD, 스타벅스 등이 있어 쇼핑하거나 커피 한잔하러 들리기 적당하다.

교통 : 본드 스트리트역에서 바로
주소 : South Molton Street, London
시간 : 웨스트 원_월~금 07:00~22:00, 토 08:00~ , 일 10:00~
웨스트 원_www.west1shopping.co.uk

뉴본드 스트리트 New Bond Street

옥스퍼드 스트리트와 피카딜리 거리 사이의 명품 쇼핑가로 명품숍은 옥스퍼드 스트리트보다 피카딜리 거리 쪽에 몰려 있다. 다이아몬드로 유명한 드비어스와 티파니 같은 명품숍, 토즈, 알렉산더 맥퀸, 돌체&가바나, 발렌티노, 구찌, 닥스, 세인트 로렌, 프라다, 샤넬, 에르메스, 루이뷔통, 버버리 같은 명품숍, 빅토리아 시크릿 등이 늘어서 있어 쇼윈도에 눈을 뗄 수 없게 한다. 명품숍마다에 내건 커다란 깃발인 인상적이고 상점마다 건장한 경호원이 있는 것도 눈에 띈다. 프라다 인근의 벌링턴 아케이드(Burlington Arcade)는 오래된 주얼리숍, 시계점, 신발 상점, 기념품점이 있는 쇼핑가!

교통 : 뉴본드 스트리트 역, 옥스퍼드 스트리트 역, 그린 파크 역에서 도보 3~5분
주소 : New Bond Street, London

포트넘&메이슨 Fortnum & Mason

1707년 설립된 백화점으로 1761년부터 영국 왕실에 납품하는 곳이다. 건물 전면의 대형 시계는 1964년 설치된 것으로 매시 종이 울리며 창업자 윌리엄 포트넘과 휴 메이슨 인형이 나와 인사를 한다. 이곳은 백화점으로 출발

했으나 홍차를 비롯한 고급 식품으로 유명! 매장은 층별로 LG층(지하)에 와인, 위스키 등 주류, 소스, 베이커리, 치즈, GF층(지상층)에 유명한 포트넘&메이슨 브랜드의 홍차, 초콜릿, 쿠키, 파운틴&갤러리 레스토랑, 1층에 다기, 홈웨어, 주방용품, 레스토랑, 2층에 가정용품, 패션잡화, 3층에 남성 패션, 가방, 문구, 4층 다이아몬든 주빌리 티 살롱 등으로 운영된다.

홍차 중에는 로열 블랜드가 가장 인기가 좋고 웨딩 블랙퍼스트, 아이리시 블랙퍼스트 같은 것은 한국에서 구하기 힘들어 관심이 간다. 주류 코너에서는 샤또 탈보, 칼롱 세귀, 남아공 육포(?) 빌통 등이 눈에 띈다. 쇼핑 후에는 티 살롱에서 핑거 샌드위치, 포트넘 스콘, 애프터눈 티 케이크, 홍차가 나오는 원조 애프터눈 티(£70, 홈페이지 예약 필수)를 맛보는 것도 즐겁다.

교통 : 옥스퍼드 서커스 역, 그린 파크 역에서 도보 5분

주소 : 181 Piccadilly, St. James's, London W1A 1ER

전화 : 020-7734-8040

시간 : 10:00~20:00, 일 11:30~18:00

홈페이지 : www.fortnumandmason.com

리젠트 스트리트 Regent Street

옥스퍼드 서커스 역과 피카딜리 서커스 역 사이의 쇼핑가로 엔 오더 스토리, H&M, 애플, 갭, 클락스, 함리스, 리바이스, 켈빈 클라인, 자라, 망고, 버버리, 유니클로 같은 상점이 늘어서 있다. 패스트패션점인 자라, 망고, H&M, 유니클로 등은 이곳뿐만 아니라 런던 주요 지점에 있어 런던에서는 흔한(?) 브랜드처럼 보인다. 이들 매장은 대형 매장을 뜻하는 플래그십 매장인 경우가 많아 쾌적한 분위기 속에 쇼핑하기 편리하다.

교통 : 옥스퍼드 서커스 역, 피카딜리 서커스 역에서 바로

주소 : Regent Street, London

리버티 Liberty London

1875년 설립된 백화점으로 1924년 건축된 튜더 양식의 건물을 사용한다. 목재 뼈대가 드러난 외관이 고풍스럽고 내부 역시 목재로 되어있어 오랜 전통을 느끼게 한다. 여러 상품 중 실크, 코튼, 린넨, 울 등 패브릭 상품(5층)이 눈에 띄고 그릇, 접시, 찻잔 등 가정용품도 관심이 간다. 튀지 않는 여성 의류(1층)와 남성 의류(지하층)는 왠지 진중한 느낌! 바느질에 관심이 있다면 2층의 원단, 바느질 패턴, 수많은 종류의 단추 등에 꽂힐지도 모른다. 단, 오래된 목조건물이라 엘리베이터가 없어 삐걱대는 계단 이용!

교통 : 옥스퍼드 스트리트 역에서 바로
주소 : Regent St, Carnaby, London W1B 5AH
전화 : 020-7734-1234
시간 : 10:00~20:00, 일 12:00~18:00
홈페이지 : www.libertylondon.com

함리스 Hamleys

1760년 설립되어 세계에서 가장 오래된 장난감 상점이자 가장 큰 장난감 상점이다. 처음 하이 홀본에서 노아의 방주란 이름으로 개업했고 1881년 리젠트점을 열었다. 1901년 하이 홀본점이 화재로 문을 닫고 리젠트점을 확장했다. 1938년 메리 여왕으로부터 로열 워런티(왕실 인증)를 얻었다. 매장은 층별로 LG층(지하) 스타워즈 컬렉션, G층(지상층) 패딩턴 베어, 1층 디즈니, 2층 레고, 디즈니, 3층 스크램블, 4층 해리포터, 호빗, 5층 레고, 마블 상품이 판매된다. 층별로 장난감은 매우 많고 일부는 직원이 시범을 보여주기도 한다. 하나하나 보려면 상당한 시간이 소요되니 꼭 볼 것만 볼 것. 상점 내 북적이니 소지품 분실 주의!

교통 : 옥스퍼드 서커스 역, 피카딜리 서커스 역에서 도보 4~5분
주소 : 188-196 Regent St, Soho, London W1B 5BT
전화 : 0371-704-1977
시간 : 10:00~21:00, 토 09:30~21:00, 일 12:00~18:00
홈페이지 : www.hamleys.in

카나비 스트리트 Carnaby Street

리버티 백화점 뒤쪽의 거리로 100개 이상의 상점과 60여 개의 레스토랑, 펍, 카페 등이 있는 곳! 옛것과 현재의 것이 공존하는 독특한 느낌 때문에 한 때 뮤직비디오나 화보에 등장하기도 했다. 패션숍 쿠플즈와 사이즈?, 페페진, 디젤, 칩 먼데이, 리플레이, 리바이스, 선물 상점 필론즈 등에서 쇼핑하거나 카페에서 커피 한잔해도 괜찮다.

교통 : 옥스퍼드 서커스 역에서 리버티 지나 도보 4분

주소 : Carnaby St, Soho, London W1F 7QS

전화 : 020-7333-8118

홈페이지 : www.carnaby.co.uk

엠엔엠즈 월드 M&M's World London

세계적인 초콜릿 업체 엠엔엠즈 (M&M's) 플래그십 매장이다. 사방에 엠엔엠즈 캐릭터가 도배되어 있고 캐릭터 장난감과 티셔츠, 색색의 초코볼이 손님을 부른다. 원하는 만큼 담을 수 있는 초콜릿은 100g에 £1.99 정도.

교통 : 피카딜리 서커스 역에서 차이나 타운 방향. 도보 3분

주소 : 1, Leicester Square, Swiss Ct, London W1D 6AP

전화 : 020-7025-7171

시간 : 10:00~24:00, 일 12:00~18:30

홈페이지 : www.mms.com/en-us/experience -mms/mms-world-stores

레고 스토어 LEGO® Store Leicester Square

세계적인 블록 장난감 업체 레고의 플래그십 매장이다. 매장으로 들어서면 레고로 만든 빅벤, 지하철역 레스터 스퀘어 간판, 공중전화부스, 우체통, 근위병 등을 볼 수 있다. 구경은

무료지만 나올 때 레고 이층버스 모형 하나 사게 되는 곳! ※2022년 7월 현재 휴업 중!

교통 : 피카딜리 서커스 역, 레스터 스퀘어 역에서 도보 3~4분

주소 : 3 Swiss Ct, London W1D 6AP

전화 : 020-7839-3480

시간 : 10:00~22:00, 일 12:00~18:00

홈페이지 : www.lego.com/en-gb/stores/stores/uk/london-leicester-square

룬펑 슈퍼마켓 Loon Fung Supermarket 龍鳳行

런던 차이나타운 내에 있는 중국계 슈퍼마켓이다. 채소, 과일은 물론 두부, 중화소스, 라면, 쌀, 주류, 식기 등을 사기 좋다. 중국계 슈퍼마켓이지만 한국, 일본, 인도, 베트남, 말레이시아 등 아시아 각국의 식재료를 취급한다. 런던 시내에서 한국 신라면, 고추장을 사들일 때 방문! ※뉴룬문 슈퍼마켓(新龍門行)은 폐점!

교통 : 피카딜리 서커스 역에서 차이나타운 방향. 도보 4분

주소 : 14-5 Gerrard St, London W1D 5PT

전화 : 020-7437-7332

시간 : 월~토 10:00~21:00, 일 11:00~21:00

홈페이지 : www.loonfung.com

주빌리 마켓 Jubilee Market

코벤트 가든 건물 남쪽에 있는 마켓으로 월요일에는 골동품, 화~일요일에는 티셔츠, 기념품, 액세서리, 벨트, 장난감, 인형 등 다양한 상품을 판매한다. 월요일 골동품 시장에서는 값비싼 보이는 물건도 있지만, 간혹 잡동사니 같은 물건까지 판매하고 있어 고개를 갸우뚱하게 한다.

교통 : 코벤트 가든(Covent Garden) 역에서 코벤트 가든 지나. 도보 3분

주소 : Jubilee Market, London WC2E 8HB

시간 : 10:30~19:00(토~일 10:00~18:00), 월_골동품, 화~일_티셔츠, 기념품, 액세서리

홈페이지 : http://jubileemarket.co.uk

03 시티~화이트 채플 City~White Chapel

시티(City)는 시티오브런던(City of London)의 줄임으로 런던의 기원이 되는 곳
이다. 로마의 영국 침략으로 기원전 55년 로마의 카이사르 황제가 템스강 변에
왔고 기원전 43년 클라우디우스 황제가 다시 와서, 로마식 건물과 런던 월이라
불리는 성벽을 세우고 론디니움 (Londinium)이라 했다. 기원전 1세기에는 린딘
(Lyndyn)으로 불렸고 훗날 오늘날의 런던(London)이 된다.

이곳은 예부터 상업, 금융 중심지로 1189년 자치회인 시티오브런던 코퍼레이션과
시민들에 의해 시장을 선출할 권리를 얻었다. 1215년에는 마그나 카르타 체결 후
직접 시장을 선출하고 자치를 했다. 지금도 길드홀, 잉글랜드 은행과 옛 증권 거
래소는 물론 JP 모건, 골드만삭스, HSBC, 로이드 회사 등 5천여 개의 금융기관
이 모여 있어 금융 중심지로서의 명맥을 유지하고 있다.

이밖에 세인트 폴 대성당, 레든 홀 마켓, 바비칸 센터, 런던탑, 타워 브리지 같은
볼거리가 많다. 화이트 채플은 시티 동쪽 지역으로 잭더리퍼 사건의 현장이자 브
릭 마켓, 페티코트 레인 마켓 같은 벼룩시장이 열리는 곳이다. 현재 인도계 사람
들이 많이 거주하는 다문화 지역!

▲ 교통

① 세인트 폴 대성당_지하철 세인트 폴(St. Paul) 역
② 바비칸 센터&런던 박물관_바비칸 (Barbican) 역
③ 런던탑&타워 브리지_타운 힐(Tower Hill) 역 하차

▲ 여행 포인트

① 세인트 폴 대성당의 지하 묘당과 돔 둘러보기
② 템플 교회에서 템플 기사단 흔적 찾기
③ 바비칸 센터에서 클래식, 뮤지컬, 전시 관람하기
④ 런던탑에서 감옥, 크라운 주얼리, 퓨실리어스 박물관 둘러보기
⑤ 타워 브리지에서 건너며 템스강 풍경 감상하기

▲ 추천 코스

템플 교회→세인트 폴 대성당→길드홀→잉글랜드 은행&박물관→런던탑→타워 브리지

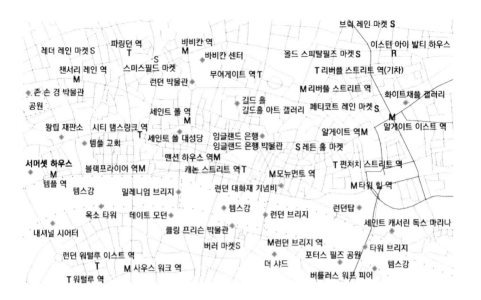

브럭 레인 마켓 S
레더 레인 마켓 S 파링턴 역 바비칸 역 이스턴 아이 발티 하우스
T M 바비칸 센터 올드 스피탈필즈 마켓 S R
챈서리 레인 역 S 스미스필드 마켓 무어게이트 역 T T 리버플 스트리트 역(기차)
M 런던 박물관 M 리버플 스트리트 역
존 손 경 박물관 화이트채플 갤러리
공원 세인트 폴 역 길드 홀
M 길드홀 아트 갤러리 페티코트 레인 마켓 S
왕립 재판소 시티 탬스링크 역 세인트 폴 대성당 잉글랜드 은행 알게이트 역 M 알게이트 이스트 역 M
T 템플 교회 잉글랜드 은행 박물관 S 레든 홀 마켓
서머셋 하우스 맨션 하우스 역 M T 펀처치 스트리트 역
M 블랙프라이어 역 M 캐논 스트리트 역 T M 모뉴먼트 역
템플 역 M 타워 힐 역
템스강 밀레니엄 브리지 런던 대화재 기념비
옥소 타워 데이트 모던 템스강 런던 브리지 런던탑
내셔널 시어터 클링 프리슨 박물관 런던 브리지 세인트 캐서린 독스 마리나
버러 마켓 S M 런던 브리지 역 타워 브리지
런던 워털루 이스트 역 포터스 필즈 공원 템스강
T M 사우스 워크 역 더 샤드
T 워털루 역 버틀러스 워프 피어

템플 교회 Temple Church

12세기 템플 기사단에 의해 세워진 교회로 기사단의 본부로 사용되었다. 템플 기사단은 성지 순례자와 예루살렘의 여호와 성지를 지키던 기사단을 말한다. 건립 후 성모 마리아에게 봉헌되었고 1185년 예루살렘 대주교의 축성을 받았다. 교회 지하에서 템플 기사단의 비밀 입문 의식이 치러졌다고 전해진다. 건물은 템플 교회 특유의 원형 제단 건물에 길쭉한 세 개의 삼각 지붕이 있는 건물이 이어져 있는 모양이다. 영화 〈다빈치 코드〉에 등장하며 찾는 사람이 종종 있다.

교통 : 왕립 재판소에서 동쪽으로 간 뒤 쪽문 통과, 우회전. 도보 3분

주소 : Temple, London EC4Y 7BB

전화 : 020-7353-8559

시간 : 월~금 10:00~16:00 ※홈페이지 참조, 휴무 : 토~일

요금 : £5, 어린이 무료

홈페이지 : www.templechurch.com

왕립 재판소 Royal Courts of Justice

1882년 건립된 빅토리아 고딕 양식의 건물로 잉글랜드와 웨일스의 최고 법원으로 쓰인다. 건물 전면에 커다란 원형

스테인드글라스 창이 있고 건물 중앙에 첨탑이 세워져 있다. 건물 내에 58개의 법정이 있고 재판이 있을 때 일반인의 방청이 허용된다. 큰 사건이 있을 때 재판소 앞에서 BBC 같은 방송사 취재가 종종 목격된다.

교통 : 템플(Temple) 역에서 북쪽, 왕립 재판소 방향. 도보 6분

주소 : Strand, London WC2A 2LL

시간 : 10:00~16:30, 휴무 : 토~일요일

홈페이지 : www.justice.gov.uk

존 손 경 박물관 Sir John Soane's Museum

1837년 존 손 경이 세계 각지에서 수집한 것을 바탕으로 설립한 박물관이다. 존 손 경(1753~1837년)은 건축가로 부유한 집안의 딸과 결혼 후 상속을 받아 수집을 시작했고 유리 돔이 있는 지금의 건물은 1808~1809년과 1812년 세웠다. 주요 소장품으로는 기원전 1,300년경의 이집트 세티 1세의 석관, 18세기 후반 윌리엄 호가스의

만화, 영국 화가 레이놀즈와 터너, 이탈리아 화가 카날레토 등의 작품이 있다. 박물관 앞 링컨스 인 필즈는 1603년 조성된 공원으로 예전 런던의 문인, 철학가 등이 산책하던 곳!

교통 : 클랜서리 레인(Chancery Lane) 역에서 서쪽, 링컨스 인 필즈 방향. 도보 7분

주소 : 13 Lincoln's Inn Fields, London WC2A 3BP

전화 : 020-7405-2107

시간 : 수~일 10:00~17:00

휴무 : 월~화요일, 요금 : 무료

홈페이지 : www.soane.org

세인트 폴 대성당 St. Paul's Cathedral

1666년 런던 대화재로 파괴된 대성당을 건축가 크리스토퍼 렌(Christoper Wren)이 1675년~1710년에 걸쳐 중세 르네상스 양식으로 재건축했다. 대성당은 십자가형 건물 중앙에 내경 31m, 높이 68m의 거대한 돔이 올라간 구조를 보인다. 이곳의 돔은 바티칸의 베드로 성당에 이어 두 번째로 큰 규모를 자랑한다. 입구에서 제단까지인 신랑의 길이는 약 152m, 돔을 포함한 건물 높이는 110m에 이르고 내부는 아름다운 천장화, 모자이크 벽화, 스테인드글라스 등으로 장식되어 있다.

1981년 찰스 황태자와 다이애나 왕세자빈의 결혼식으로 유명해졌고 템스강 남쪽에서 밀레니엄 브리지를 건너면 바로 보이는 런던의 랜드마크 중 하나! 지하 납골당(Crypt)에는 대성당을 지은 크리스토퍼 렌, 화가 레이놀즈 터너, 시인 W.브레이크, 〈피터 팬〉의 작가인 J.배리, 해군 제독, 넬슨, 나이팅게일 등 유명인의 묘가 있다. 좁은 계단을 올라 돔 상부에서 대성당 내부, 돔 외부에서 런던 일대를 조망할 수 있으니

놓치지 말자. 한국어 오디오 가이드를 이용하면 더욱 자세한 설명을 들 수 있다. ※대성당 내부 사진 촬영 금지!

교통 : 세인트 폴(St. Paul) 역에서 대성당 방향. 도보 2분

주소 : St. Paul's Churchyard, London EC4M 8AD

전화 : 020-7246-8350

시간 : 08:30~16:30

휴무 : 일요일(미사, 무료)

요금 : £25

홈페이지 : www.stpauls.co.uk

☆여행 이야기_17세기 후반 영국 대표 건축가, 크리스토퍼 렌 Christoper Wren
런던을 여행하다 보면 한 번쯤 듣게 되는 이름이 건축가 크리스토퍼 렌

(1632~1723년)이다. 영국 월트셔의 이스트 노일에서 목사의 아들로 태어나 어려서부터 과학과 수학에 재능을 보였다. 1661년 옥스퍼드 대학교에서 천문학 교수로 임용되었으나 건축으로 전공을 바꿔, 1665~1666년 파리에 머물며 독학으로 건축을 익혔다. 1666년 런던 대화재 이후 런던 건설총감이 되어 세인트 폴 대성당(1675년~1710년)과 51개 교구 성당을 건축하였다. 대성당 외 펜브르그, 카렛지 예배당(1662년), 셸든 기념 강당(1664년~1669년), 햄프턴 코트 궁전 신관(1689년~1694년), 그리니치 호스피탈(1696년~1789년) 등을 설계, 건축하였다. 간결하고 웅장한 고전주의를 바탕으로 이탈리아와 프랑스의 바로크 양식을 적절히 가미, 17세기 후반 영국 대표 건축가이자 영국 건축의 규범을 제시한 것으로 여겨진다.

밀레니엄 브리지 Millennium Bridge

템스강을 가로질러 남쪽 테이트 모던 미술관과 북쪽 세인트 폴 대성당을 연결하는 다리다. 1894년 타워 브리지 이후 최초의 보행 전용 다리로 2000년 세워졌고 길이는 370m. 양쪽으로 펼쳐진 미니 현수교 모양으로 한때 바람에 다리가 흔들려 폐쇄되기도 했으나 수리 후 2002년 재개장하였다. 미끈한 외관으로 인해 〈러브 액추얼리〉, 〈해리 포터와 혼혈왕자〉 같은 영화에 등장하기도 했다.

교통 : 맨션 하우스(Mansion House) 역에서 서쪽으로 간 뒤 좌회전. 도보 5분
주소 : Thames Embankment, London SE1 9JE
전화 : 020-7606-3030

런던 박물관 Museum of London
1975년 개관한 박물관으로 선사시대부터 현재까지 런던의 역사 유물을 전시한다. 주요 전시품으로는 L1층에 기원전 186,000~245,000년 들소 해골, 기원전 6,000년 돌도끼, 기원후 180~220년 미쓰러스(Mithras)의 두상, 1,300년 경 백랍 말 탄 기사 조각, 1550~1660년 올리버 크롬웰(Oliver Cromwell)의 데스마스크, L2

층에 1752~53년 팬쇼 드레스 (Fanshawe dress), 1887~9년 찰스 부스(Charles Booth)의 런던 지도, 1928년 셀프리지 엘리베이터 등이 있다. 로마 시대와 중세 튜더왕조, 스튜어트 왕조, 빅토리아 시대를 재현한 거리도 볼만하다. ※2024년 현재 리모델링 중 2026년 재개관 예정

교통 : 바비칸(Barbican) 역에서 남쪽, 박물관 방향. 도보 5분
주소 : 150 London Wall, London EC2Y 5HN
전화 : 020-7001-9844
시간 : 10:00~17:00, 요금 : 무료 ※ 홈페이지에서 입장 일시 예약!
홈페이지 :

www.museumoflondon.org.uk/museum-london

바비칸 센터 Barbican Centre

1982년 개관한 복합문화센터로 콘서트홀, 컨벤션홀, 소극장, 3개 상영관이 있는 복합영화관, 전시관(아트 갤러리), 도서관 등으로 구성된다. 콘서트홀은 런던 심포니 오케스트라의 근거지로 클래식은 물론 재즈, 록, 라틴, 뮤지컬 등 다양한 공연이 펼쳐진다. 인기 공연은 조기 매진되므로 홈페이지의 공연 일정을 보고 관심 있다면 예매를 하는 것이 좋다.

공연장 외 전시장에서 회화와 조각, 팝 아트 등 다양한 기획전, 복합영화관에

서는 최신 영화를 관람할 수 있고 아트숍에서 하나뿐인 기념품을 사도 괜찮다. 센터 건물이 거대하고 복합적이며 노출 콘크리트로 되어있어 흐린 날에는 다소 으스스하게 보일 수 있으나 센터를 찾는 사람이 많아 걱정할 것은 없다. 다만, 늦은 밤에 센터 내를 홀로 돌아다니지 말자.

교통 : 바비칸(Barbican) 역에서 바비칸 센터 방향. 도보 5분

주소 : Silk St, London EC2Y 8DS

전화 : 020-7638-4141

시간 : 09:00~23:00(일 11:00~23:00), 전시장_토~수 10:00~18:00, 목~금 10:00~22:00

홈페이지 : www.barbican.org.uk

길드홀 Guildhall

길드 본부 건물로 현재의 건물은 15세기 초에 세워진 것이다. 길드(Guild)는 중세 유럽의 동업자 조직으로 상인 길드와 수공업 길드 등이 있다. 길드가 자체 규약을 만들어 시장 질서를 확립하였기에 중세 도시 발전에 이바지한 것으로 알려져 있다. 길드홀의 그레이트 홀에는 런던의 12 길드의 깃발과 방패가 있고 이곳에서 1,502년 이래, 새로운 시장의 연회가 열리기도 했다. 그레이트 홀 외 올드 라이브러리, 이스트&웨스 크립트 등이 있으나 현재 모두 연회장으로 쓰인다.

교통 : 뱅크(Bank) 역에서 잉글랜드 은행 옆길로 올라간 뒤 좌회전. 도보 5분

주소 : Gresham St, London EC2V 7HH

전화 : 020-7332-1313

시간 : 10:00~16:30, 요금 : 무료

홈페이지 : www.guildhall.cityoflondon.gov.uk

≫길드홀 아트 갤러리 Guildhall Art Gallery

1886년 개관한 미술관으로 런던시가 소장한 미술품을 전시한다. 소장품 중에는 존 에버렛 밀레이(John Everett

Millais), 에드윈 랜시어(Edwin Landseer) 등 빅토리아 시대 작가의 작품이 많다. 1941년 런던 대공습 시절 건물이 크게 파괴되었으나 소장품은 미리 윌트셔의 지하 보관소로 옮겨 무사할 수 있었다. 현재의 세미 고딕 양식의 건물은 1999년 원래의 모습으로 재건한 것이다. 전시 중 존 싱글턴의 지브롤터에서의 포함대의 패배(Defeat of the Floating Batteries at Gibraltar)는 영국에서 가장 큰 유화 작품 중 하나! ※갤러리 맞은편은 **런던 경찰 박물관**(The City Of London Police Museum, 09:30~17:00, 토 10:00~16:00. 일 휴무, 무료).

교통 : 길드홀에서 바로
주소 : Guildhall Yard, London EC2V 5AE
전화 : 020-7332-3700
시간 : 10:00~17:00(일 12:00~14:00)
요금 : 무료
홈페이지 :
www.guildhall.cityoflondon.gov.uk/spaces/guildhall-art-gallery

잉글랜드 은행 Bank of England
1694년 프랑스와 전쟁으로 인한 윌리엄 3세의 재정난을 완화하고자 W.패터슨이 제안해 설립된 은행이다. 세계 8번째 은행이자 스웨덴 중앙은행(1668년)에 이어 두 번째로 오래된 은행이기도 하다. 프랑스와의 전쟁은 9년 전쟁(1688-97) 또는 대동맹 전쟁, 아우크스부르크동맹전쟁으로 불리는데 유럽 본토와 아일랜드, 북아메리카에서 루이 14세의 프랑스군과 영국 연합군과의 전쟁. 잉글랜드 은행은 자본금 120만 파운드를 정부에 대출하고 같은 액수의 은행권을 발행하였는데 당시 은행권 발행은 독점이 아니었으나 최초의 주식회사 은행으로 왕실과의 관계가 밀접해 18세기 이후 중앙은행의 지위를 얻었다. 1833년 잉글랜드 은행권이 법화로 지정되고 1844년 잉글랜드 은행 조례에 따라 새로운 발권은행의 설립이 금지되며 공식 중앙은행으로 여겨졌다.

1854년 중앙은행과 개별 은행 간의 상호 결재 시스템이 신뢰를 얻으며 다른 나라의 중앙은행 설립을 촉진하기도 했다. 1946년 노동당 정부에 의해 국유화되었다가 1998년 공기업이 되었

다. 영국은 18세기 후반~20세기 초 제1차 세계 대전까지 세계 경제의 중심이어서 잉글랜드 은행이 세계 중앙은행 역할을 했으나 영국 경제가 쇠퇴하며 점차 그 지위를 잃었다. 그런데도 여전히 유럽 금융의 중심이자 세계 금융 강국으로서 면모를 유지하고 있다.

교통 : 뱅크(Bank) 역에서 바로

주소 : Threadneedle St, London EC2R 8AH

전화 : 020-7601-4444

시간 : 09:00~15:00, 휴무 : 토~일요일, 요금 : 무료

홈페이지 : www.bankofengland.co.uk

≫잉글랜드 은행 박물관

잉글랜드 은행 부설 박물관으로 잉글랜드 은행의 역사를 소개한다. 박물관에서 1694년 윌리엄 왕에게 받았던 일종의 허가장 로열 차터(Royal Charter) 원본, 1700년경의 철제 금고(?), 18세기 사용된 1백만 파운드 수표, 금을 맡긴 금 세공사에게 지급한 영수증 겸 최초의 지폐, 375년 로마의 골드바 등을 볼 수 있다.

교통 : 뱅크(Bank) 역에서 바로

주소 : Bartholomew Ln, London EC2R 8AH

전화 : 020-7601-5545

시간 : 월~금 10:00~17:00

휴무 : 토~일요일, 요금 : 무료

홈페이지 : www.bankofengland.co.uk/museum

≫왕립 증권 거래소 Royal Exchange

영국 최초의 왕립 거래소로 1571년 엘리자베스 1세의 칙허와 알코올 판매 허가를 받았다. 17세기까지 물건 거래만 이루어졌고 주식 거래는 주식중매인의 거친 매너 때문에 허용되지 않았다. 건물은 1565년 처음 세워졌으나 1666년 런던 대화재 때 소실, 재건되었고 1838년 다시 소실되었다가 1844년 건축가 윌리엄 타이트의 설계

로 재건되어 오늘에 이른다. 마름모꼴 모양으로 뱅크 역 방향에 삼각형 박공벽과 원기둥이 있는 신전 모습의 현관, 반대쪽에 첨탑이 있다. 현재는 폴 스미스, 루이뷔통, 티파니 등 상점과 카페가 있는 상업시설로 쓰인다.

교통 : 뱅크(Bank) 역에서 바로

주소 : Royal Exchange, London EC3V 3LR

홈페이지 :
www.theroyalexchange.co.uk

레든 홀 마켓 Leadenhall Market

1881년 현재의 아케이드 상가 모습을 갖춘 시장이다. 14세기경 처음 시장이 형성되었고 1666년 런던 대화재 때 소실된 후 이후 여러 차례 재건되었다. 지붕이 납 판(Lead plate)으로 되어있어 레든 홀 마켓이라 불린다. 여느 시장처럼 채소, 과일, 정육 등 다양한 상품을 파는 상점이 늘어서 있다. 영화 〈해리포터와 마법사의 돌〉에서 해리포터가 마법 지팡이를 사던 곳(실제로는 세트에서 촬영)이기도 하고 해그리와 해리포터가 갔던 리키 칼드론 펍은 마켓 근처(42 Bull's Head Passage)에 있는데 실제는 안경점! 독특한 분위기로 인해 이른 아침 사람 없을 때 나만의 화보를 찍어도 좋다!

교통 : 모뉴먼트(Monument) 역에서 북쪽, 레든홀 마켓 방향. 도보 5분

주소 : Gracechurch St, London EC3V 1LT, 시간 : 24시간

홈페이지 :
www.leadenhallmarket.co.uk

런던 대화재 기념비 Monument to the Great Fire of London

1671~7년 런던 대화재를 기리기 위해 세워진 기념비로 크리스토퍼 렌과 로버트 훅이 설계했다. 기념비는 하나의 도리이식 기둥으로 되어있고 내부의 311개 계단을 올라 테라스에 이르면 런던 시내가 한눈에 들어온다. 런던 대화재

는 1666년 9월 2일 발생한 대화재로 5일간 87채의 교회, 1만 3천 채의 집이 불탔다. 대화재로 세인트 폴 대성당, 레든 홀 마켓 같은 주요 건물을 포함해 런던 전체의 4/5가 소실됐다. 대화재 이후 런던에서 목조 건축이 금지되고 석조 건축 위주로 재건되어 오늘의 런던의 모습이 되었다.

교통 : 모뉴먼트(Monument) 역에서 남쪽. 도보 1분

주소 : Fish St Hill, London EC3R 8AH

전화 : 020-7403-3761

시간 : 4~9월 09:30~13:00, 14:00~18:00, 10~3월 09:30~17:30

요금 : 성인 £6, 어린이 £3

홈페이지 : www.themonument.org.uk

런던탑 London Tower

템스강 북단에 있는 왕궁이다. 11세기에 처음 세워져 성채, 감옥, 천문대, 동물원, 처형장, 무기고, 보물창고, 조폐국 등 다양한 용도로 쓰였다. 1,078년 노르만의 정복왕 윌리엄이 중앙에 화이트 타워, 1216년부터 1272년 헨리 3세가 내부 원형 성곽을 세웠고 14세기 무렵 현재의 외관을 갖추게 되었다.

입구 안쪽의 블러디 타워에서 에드워드 4세의 아들과 두 명의 어린 왕자들이 살해되고 타워 그린의 요새에서 왕비 앤 블린이 참수되어 으스스한 느낌이 든다. 흐린 날에 앤 블린의 유령이 출몰한다는 소문도 있다. 부지 중앙의 화

이트 타워는 30m 높이로 11세기에 가장 높았던 건물인데 겉면을 흰색으로 칠해 화이트 타워라 불렸다. 화이트 타워 옆 크라운 주얼(주얼리 하우스)은 1303년 이래 영국 왕실의 보물을 보관하고 있는데 세계 최대 다이아몬드인 아프리카의 별, 1837년 2800개의 다이아몬드와 보석이 장식된 빅토리아 여왕의 왕관이 볼만하다. 크라운 주얼 뒤쪽 건물이 동물원 건물! 화이트 타워 뒤쪽에 퓨실리어스 뮤지엄에 칼과, 창, 방패, 갑옷 등 각종 무기가 전시되어 있고 템스강 쪽의 크레이들 타워에서는 헨리 8세가 프로테스탄트라는 이유로 화형시킨 여자가 갇혔던 곳이다. 입구에서 시계 반대 방향으로 한 바퀴 돈 뒤, 템스강 쪽 출구로 나가면 타워 브리지를 구경하기 편리하다.

추천코스 : 메인 입구→블러디 타워→크레이들 타워→화이트 타워→퓨실리어스 뮤지엄→크라운 주얼→출구
교통 : 타워힐(Tower Hill) 역에서 런던탑 방향. 도보 1분
주소 : St Katharine's & Wapping, London EC3N 4AB
전화 : 0844-482-7777
시간 : 11~2월/3~10월 화~토 09:00 ~16:00/~17:30, 일~월 10:00~16:00 /~17:30, 요금 : £34.8
홈페이지 :
www.hrp.org.uk/tower-of-london

타워 브리지 Tower Bridge

1894년 세워진 다리로 양안에서 각각 80m의 현수 부분과 60m의 중앙의 도개교 부분 등 총 220m에 달한다. 배가 지날 때 중앙의 도개교가 들어올려지고 이때 사람들은 다리의 타워를 올라 공중 다리로 지나갈 수 있다. 현재 배의 통행이 잦지 않아 공중 다리는 통행 목적이 아닌 전망 목적으로 올라간다. 다리 중앙의 4개의 탑은 스코틀랜드풍으로 양측 현수 부분과 함께 독특한 외관을 자랑해 런던의 상징 중 하나로 여겨진다.

교통 : 타워 힐(Tower Hill) 역에서 타워 브리지 방향. 도보 7분
주소 : Tower Bridge Rd, London SE1 2UP
전화 : 020-7403-3761

시간 : 전망대_09:30~18:00

요금 : 타워&엔진룸_성인 £13.4 ※홈페이지 일시별 예약!

홈페이지 : www.towerbridge.org.uk

화이트채플 갤러리 Whitechapel Gallery

1901년 이스트엔드 지역에 설립된 미술관으로 건물은 건축가 찰스 해리슨 타운센드가 세웠다. 웨스트엔드가 런던 시내로 극장, 갤러리가 많아 문화 중심지라면 이스트엔드는 런던 변두리로 산업혁명 시대와 빅토리아 시대에 매춘과 범죄의 온상이었던 곳! 갤러리에서는 1938년 파블로 피카소의 〈게르니카〉, 1956년 영국 최초의 팝아트 작품(리처드 해밀턴)을 〈이것이 내일이다〉, 1982년 멕시코 여류 화가 프리다 칼로, 미국 추상표현주의 화가 잭슨 폴락, 다큐 사진가 낸 골딘 등 주로 근현대의 실험적인 예술 작품들 전시한다.

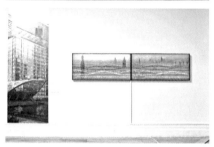

교통 : 알게이트 이스트(Aldgate East) 역에서 미술관 방향. 도보 2분

주소 : 77-82 Whitechapel High St, London E1 7QX

전화 : 020-7522-7888

시간 : 11:00~18:00, 휴무 : 월요일

요금 : 무료 또는 유료 ※전시 별로 다름

홈페이지 :

www.whitechapelgallery.org

르 팽 코티디앵 Le Pain Quotidien

베이커리와 레스토랑을 겸한 곳이다. 르 팽 코티디앵은 프랑스어로 '일상의 빵'이란 뜻! 식사라면 브런치 메뉴나 핫디시 중에 고르면 되고 간단히 먹자면 유기농 커피에 스콘, 케이크 정도 먹어도 괜찮다.

교통 : 모뉴먼트(Monument) 역에서 바로
주소 : 42 Fish St Hill, London EC3R 6BR
전화 : 020-3745-5140
시간 : 월~수 07:30~18:00, 목~금 ~19:00, 토 08:00~19:00, 일 ~18:00
메뉴 : 아보카도 토스트 £7.95, 블랙퍼스트 볼 £8.95, 브리티시 스테이크&웨스트 컨추리에일 스튜 £13.95 내외
홈페이지 :
www.lepainquotidien.com/uk

스카르페타 Scarpetta

직접 면을 뽑는 수타 짜장이 맛있듯이 수제 파스타가 맛있는 것은 당연한 일이다. 여기에 가격까지 저렴하고 양도 많아 가성비 높은 파스타 식당이다. 고급(?) 이탈리안 레스토랑에서 한 개 값이면 이곳에서 파스타 1개와 샐러드 1개를 주문할 수 있다.

교통 : 모뉴먼트(Monument) 역에서 바로
주소 : 110 Cannon St, London EC4N 6EU
전화 : 020-7929-6901
시간 : 07:00~21:00, 휴무 : 토~일요일
메뉴 : 파스타 £10~15 내외, 스프, 샐러드, 파니니(샌드위치), 카피
홈페이지 : http://scarpetta.london

또르띠야 Tortilla

웅장하고 멋진 아케이드 상점가인 레든홀 마켓 내에 있는 멕시코 레스토랑이다. 쌀밥, 콩, 고기, 채소 등을 넣고 밀가루 빵떡 토르티야에 싼 부리또, 3

가지 타코를 제공하는 트레스 타코스, 또르띠야에 채소, 고기, 치즈 등을 넣고 반으로 접은 케사디야, 나초 위에 채소, 고기 등을 올려 내는 나초스 쿠에소 같은 메뉴는 어느 것이든 부담 없이 맛보기 좋다. 이곳에는 또르띠야 외 피자 익스프레스, 레온(LEON), 이탈리안, 스페인, 영국 레스토랑 등이 있으니 입맛에 따라 찾아가도 좋다.

교통 : 모뉴먼트, 뱅크역에서 레든 홀 마켓 방향. 도보 5분
주소 : 28 Leadenhall Market, London EC3V 1LR
전화 : 020-7929-7837
시간 : 11:30~17:00, 휴무 : 토~일요일
메뉴 : 브리또 M/L £5.6/£6.6, 트레스 타코스 £5.4, 샐러드 M/L £5.60/£6.6, 케사디야 £5.4, 나초스 쿠에소 £5.4 내외
홈페이지 : www.tortilla.co.uk

구르메 버거 키친 Gourmet Burger Kitchen

수제 버거 점으로 기본은 클래식 비프와 치킨버거. 양이 적은 사람은 미디움, 큰 사람은 라지로 주문해도 좋고 치즈, 패티 같은 토핑을 추가해도 괜찮다. 좀 더 푸짐하게 먹을 사람은 비프 버거의 모조 톰, 치킨버거의 칙칙붐을 주문해도 좋다. 스키니 프라이(칩스)에 키친 솔트 뿌려 먹으면 절로 맥주가 생각난다.

교통 : 타워 힐(Tower Hill) 역에서 도보 4분
주소 : Unit 2A, Towers Pl, London EC3R 5BU
전화 : 020-7929-2222
시간 : 월~화 11:30~20:00, 수~목 ~21:00, 금~토 10:00~21:00, 일 ~19:00
메뉴 : 비프 버거 £8~14, 치킨버거 £10~11, 후라이, 샐러드 £4 내외
홈페이지 : www.gbk.co.uk

블랙퍼스트 클럽 The Breakfast Club

런던에서 가장 유명한 브런치 카페로 항상(?) 긴 줄을 볼 수 있다. 메뉴는 크게 베네딕트, 블랙퍼스트 클럽 클래식, 팬케이크&와플 카테고리로 나뉜다. 베네딕트는 계란의 고소함, 팬케이크&와플은 팬케이크나 와플 위에 크림, 생과일 올려 달달함, 블랙퍼스트 클럽 클래식은 소시지, 팬케이크, 베네딕트 등 푸짐함으로 승부한다. 메뉴는 오전, 오후, 저녁으로 나뉘는데 큰 카테고리는 비슷!

교통 : 알게이트 이스트(Aldgate East) 역에서 도보 10분

주소 : 12-16 Artillery Ln, London E1 7LS

전화 : 020-7078-9633

시간 : 월~수 07:30~23:00, 목~금 ~24:00, 토 08:00~24:00, 일 ~22:30

메뉴 : 블랙퍼스트 클럽 클래식_풀몬티 £15, 올아메리칸 £15.5, 바나나&피칸 프렌치 토스트 £11.5, 펜케이크 £10~14, 더블 치즈버거 £14 내외

홈페이지 : www.thebreakfastclubcafes.com

이스턴 아이 발티 하우스 Eastern Eye Balti House

브릭 레인 거리에 인디안 레스토랑이 늘어서 있는데 저마다 올해의 쉐프상이나 트립어드바이저의 베스트 커리상(?)을 받았다는 플래카드가 걸려있다. 간단히 모두 맛집이란 이야기니 레스토랑 고르는 데 시간을 낭비하지 말자. 메뉴 중 점심 세트메뉴가 가성비 높고 12:00~17:00 한산한 시간에 할인되는 곳이 있으니 눈여겨보자. 스타터에서 티카를 맛보고 그릴에서 탄두리치킨 또는 발티 디시(솥 카레볶음)에서 치킨 발티를 선택하고 마무리로 난이나 로티 정도 주문하면 적당하다. 난이나 로티가 싫은 사람은 흰쌀밥, 버섯밥, 볶음밥 등에서 고르면 된다.

교통 : 알게이트 역에서 화이트채플 지나 브릭 레인 직진. 도보 8분
주소 : 63A Brick Ln, London E1 6QL
전화 : 020-7247-8643
시간 : 12:00~24:00
메뉴 : 2코스(스타터, 메인) £20 내외, 탄두리 믹스 그릴 £13.95, 킹 프라운 마라바 £13.95, 믹스드 그릴 미치 마살라 £11.95, 시크 케밥 £3.95, 사모사 £3.50, 탄두리 치킨 £4.95 내외
홈페이지 : https://easterneyebricklane.co.uk

*쇼핑

페티코트 레인 마켓 Petticoat Lane Market

런던에서 유명한 선데이 마켓 중 하나로 웬트워스 스트리트에서 미들섹스 스트리트까지 이어진다. 시장은 1882년 이스트엔드에 유대인들이 모여 살며 시장이 형성되었다. 현재 유대인은 보이지 않고 아프리카, 중동 사람들이 많이 보인다. 주중에는 웬트워스 거리(Wentworth St.)의 상점과 몇몇 노점, 일요일에는 옛 페티코트 레인인 미들섹스 거리(Middlesex St.)의 노점이 운영된다. 취급품목은 의류, 액세서리, 신발, 가방, 잡화 등으로 대부분 신품이고 일부 빈티지가 있다.

재고처리로 나온 프렌치 커넥션, 막스&스펜서, 톱맨 같은 유명 브랜드 의류는 가격이 저렴해 눈길이 간다. 시장통에 푸드 트럭도 있어 프렌치프라이, 미트볼, 볶음밥 등을 맛보아도 즐겁다. 일요일에 복잡하니 소지품 보관 주의! "골라- 골라-" 하는 식으로 "해버룩(Have a Look)- 해버룩-"하는 소리도 정겹다.
교통 : 알게이트 역, 알게이트 이스트 역, 리버풀스트리트 역에서 도보 5분
주소 : 119-121 Middlesex St, London E1 7JF
전화 : 020-7364-1717
시간 : 월~금 09:00~16:00, 일

08:00~15:00, 휴무 : 토요일

올드 스피탈필즈 마켓 Old
Spitalfields Market

런던에서 가장 오래된 시장 중 하나로
지금은 코벤트 가든 느낌의 세련된 쇼
핑가다. 1638년 찰스 왕의 육류와 청
과에 대한 면허로 처음 시장이 열렸고
1991년 런던 동부로 시장이 이전할
때까지 운영됐다. 현재의 유리 천장이
있는 건물은 1887년 세워진 것이다.
2005년 리모델링을 거쳐, 의류, 액세
서리, 공예품, 잡화 등을 판매하는 세
련된 시장으로 변모했다. 시장은 의류,
패브릭 등을 판매하는 상점과 액세서
리, 공예품, 기념품 등을 판매하는 가
판으로 나눠진다. 목요일 골동품과 빈
티지 마켓이 열리고 일요일 150여 개
의 최대 노점이 선다. 한 달에 한 번
열리는 아트마켓 겸 전시회도 눈길을
끈다. 시장과 주변으로 구르메 버거 치
킨, 디파트먼트 오브 커피, 인디고(카

레), 블리커(버거), 필펠(팔라펠) 등의
레스토랑과 카페가 있어 식사하거나 커
피를 마시기도 좋다. 때때로 공연도 열
려 흥겨움을 더한다.
교통 : 알게이트 이스트 역, 리버풀스
트리트 역에서 도보 8~9분
주소 : 16 Horner Square, London
E1 6EW
전화 : 020-7375-2963
시간 : 월~금 10:00~20:00, 토
~18:00, 일 ~17:00
홈페이지 :
https://oldspitalfieldsmarket.com

브릭 레인 마켓 Brick Lane Market

런던에서 가장 큰 선데이 마켓 겸 벼
룩시장이다. 17세기 유대인 공동체의
농산물 시장으로 시작해 20세기 방글
라데시 사람들이 유입되며 시장의 모습
이 변모되었다. 1989년 브릭 레인의
양조장인 올드 트루먼 브루어리가 이전
하며 건물 내에 선데이업 마켓, 빈티지

마켓, 보일러 하우스, 백야드 마켓 등이 생겨났다. 선데이업 마켓에서는 빈티지, 액세서리, 공예품, 식품, 빈티지 마켓에서는 1920년대~1990년대까지의 의류, 백야드 마켓에서는 디자이너와 예술가의 의류와 소품을 취급하고 보일러 하우스에서는 길거리 먹거리를 판매한다.

벼룩시장은 올드 투르먼 브루어리 인근의 브릭 레인 일대에서 벌어지는데 빈티지 의류, 장난감, 기념품, 전자제품 등 온갖 것들이 다 나온다. 일요일에 가장 노점이 많이 나오고 토요일에도 일부 마켓과 노점이 있다. 물건 살 때 흥정하는 재미가 있으니 해볼 것! 화이트 채플 미술관에서 올드 투르먼 브루어리 가는 길에 방글라데시, 인도, 파키스탄 등 레스토랑이 늘어서 있어 카레나 탄두리치킨을 맛보기도 좋다. 이 지역은 방글라데시, 인도, 중동 사람들이 많아 낯설 수 있으니 큰길로만 다니면 문제가 없다. 일요일에는 사람들이 매우 많으므로 소지품 보관 주의!

교통 : 알게이트 이스트 역에서 화이트 채플 미술관 지나 좌회전, 브릭 레인 직진. 도보 10분

주소 : 91 Brick Ln, London E1 6QR

전화 : 020-7770-6028

시간 : 토 11:00~18:00, 일 10:00~17:00, 휴무 : 월~금요일

원 뉴 체인지 One New Change

쇼핑보다 쇼핑센터의 루프 테라스에서 세인트 폴 대성당을 보기 위해 가는 곳이다. 예전 이곳에서 배우 전지현이 아웃도어 의류 광고 찍기도 했다. 서쪽으로 세인트 폴 대성당, 남동쪽으로는 템스강과 초고층 빌딩 더 샤드가 한눈에 들어온다. 주요 상점은 올세인트, 부츠, 갭, H&M, 보스, 망고, 테드 베이커, 톱맨 등이 있고 제이미 올리버의 바베코아(런치세트_2코스 £24, 3코스 £27 내외), 잇, 난도스, 와사비 등 레스토랑도 있어 식사하기도 괜찮다.

교통 : 세인트 폴(St. Paul's) 역에서 도보 2분

주소 : 1 New Change, London EC4M 9AF

전화 : 020-7002-8900

시간 : 월~수 10:00~19:00, 목~금
~20:00, 토 ~19:00, 일 12:00~18:00
홈페이지 :
https://onenewchange.com

와이트로즈 Waitrose

테스코(Tesco), 사인즈버리(Sainsbu-
ry's), 아이슬란드(Iceland)과 함께 영
국 대표 슈퍼마켓 중 하나. 런던 시내
에는 편의점 크기의 익스프레스, 로컬
점, 리틀점이 많고 약간 시내에서 벗어
난 곳에 대형점이 있다. 상품 구성은
비슷하니 어느 슈퍼마켓을 들어가도 상
관없다. 간단한 식사를 위한 샌드위치,
샐러드가 눈에 띄고 숙소에 전자레인지
가 있다면 스파게티나 미트볼, 피자도
괜찮다. 쇼핑이라면 커피와 홍차가 일
순위이고 앵무새 설탕, 바텀크림, 틱톡
티도 인기! 마감 시간 임박해서는 빵,
스파게티, 과일 등 파격 세일한다.
교통 : 타워힐(Tower Hill) 역에서 캐
서린독 지나. 도보 11분

주소 : Thomas More St., St
Katharine Docks, London E1W 1YY
전화 : 020-7702-1640
시간 : 월~금 07:30~22:00, 토
~21:00, 일 11:00~17:00
홈페이지 : www.waitrose.com

라지마할 스위트 Rajmahal Sweets

벵골 디저트숍으로 인도 벵골주와 방글
라데시 지역의 디저트숍으로 보면 된
다. 가게 안으로 들어서면 다양한 종류
의 비스킷, 케이크 건과일, 아몬드와
설탕, 달걀을 이겨 만든 과자인 마르지
핀 등이 보인다. 하나같이 매우 달달한
것이 특징! 브릭 레인의 커리 하우스에
서 식사한 뒤 이곳에서 디저트를 맛보
면 좋다. 달달한 것 좋아하는 어른들
선물로도 제격!
교통 : 알게이트 이스트 역에서 화이트
채플 미술관 지나 좌회전, 브릭 레인
직진. 도보 7분
주소 : 57 Brick Ln, Shoreditch,

London E1 6PR

전화 : 020-7375-3536

시간 : 09:00~23:00

버버리 아웃렛 Burberry Outlet

런던 시내 북동쪽에 있는 버버리 아웃렛으로 버버리 팩토리 아웃렛으로도 불린다. 1856년 설립된 버버리는 흔히 바바리코트로 불리는 트렌치코트로 유명한 영국 대표 명품이다. 이곳 아웃렛에는 남성복, 여성복, 아동복, 가방, 구두, 액세서리 등 다양한 버버리 제품을 갖추고 있어 쇼핑하기 좋다. 할인율은 30~40% 정도. 버버리 특유의 브라운색 체크무늬 소재는 한눈에 버버리 제품임을 알아보게 한다. 쇼핑 후에는 택스 리펀드 용지(여권 또는 여권 복사본 필요)를 받아 히스로공항 출구 시 부가세 환급을 받는다. 버버리 아웃렛 인근

에 아웃렛으로 운영되는 아쿠아스큐톰 (Aquascutum), 프링글(Pringle of Scotland), 조셉(JOSEPH), 나이키 등도 있으니 들려보자. 단, 이 지역은 런던 변두리로 혼자 외진 곳으로 가지 않고 늦은 밤까지 머물지 않도록 한다.

교통 : 피카딜리 서커스의 트로카데로 헤이마켓 H 정류장에서 38번 버스, 해크니 센트럴(Hackney Central Mare St.) 하차(50분 소요). 도보 7분 또는 킹스크로스역 E 정류장에서 30번 버스, 모닝 레인(Morning Lane Trelawney Estate) 하차(30분 소요). 도보 2분 / 옥스퍼드 서커스역에서 지하철(Victoria), 하이버리&이즐링턴 (Highbury&Islington) 역에서 지상철 (Overground) 환승, 해크니 센트럴 (Hackney Central) 역 하차(20분 소요). 도보 6분

주소 : 29-31 Chatham Pl, London E9 6LP

전화 : 020-8328-4287

시간 : 10:00~19:00, 일 ~18:00

홈페이지 :

https://uk.burberry.com/outlet-stores

04 사우스뱅크~서더크 Southbank~Southwark

사우스뱅크(Southbank)는 램버스 궁전에서 런던아이 거쳐 블랙프라이어 다리에 이르는 관습적 지역이다. 서더크(Southwark)는 정식명칭이 런던버러오브서더크 (London Borough of Southwark)로 블랙프라이어 다리 남쪽에서 버러 마켓 거쳐 서더크 공원까지, 남쪽으로 덜위치까지의 지역을 말한다. 여행자는 주로 사우스뱅크와 서더크 지역의 테이트 모던을 거쳐 버러 마켓 정도 다닌다.

서더크는 시티오브런던을 제외한 그레이터 런던(광역 런던)의 32개 구 중 가장 오래된 지역으로 〈캔터베리 이야기〉에 등장하는 태버드 인(The Tabard Inn) 같은 여인숙이 많았고 찰스 디킨스 소설의 배경이기도 했다.

사우스뱅크와 서더크 여행은 런던아이에서 템스 강변을 따라 걸으며 로열페스티벌홀, 테이트 모던, 글로브 극장에 들르고 버러 마켓에서 스카치에그에 맥주 한잔하면 딱 좋다.

▲ 교통

① 런던아이, 로열 페스티벌 홀_지하철 워털루(Waterloo) 역
② 테이트모던, 셰익스피어 글로브_서더크(Southwark, 사우스 워크) 역
③ 서더크 대성당, 버러 마켓_런던 브리지(London Bridge) 역
④ 전쟁 박물관_램버스 노스(Lambeth North) 역 하차

▲ 여행 포인트

① 대관람차 런던아이에서 런던 시내 조망하기
② 로열 페스티벌 홀에서 공연 관람하고 축제 참여하기
③ 테이트 모던에서 20세기 이후 회화와 조각 감상하기
④ 셰익스피어 글로브에서 셰익스피어 연극 관람하기
⑤ 서더크 대성당 보고 버러 마켓에서 거리 음식 맛보기

▲ 추천 코스

전쟁 박물관→시라이프 런던 아쿠아리움→런던아이→로열 페스티벌 홀→테이트 모던→셰익스피어 글로브→서더크 대성당과 버러 마켓→더 샤드 전망대

템플 역 M 　블랙프라이어 역 M 　세인트 폴 대성당
캐논 스트리트 역 T 　M 모뉴먼트 역 　T 펀처치 스트리트 역
밀레니엄 브리지 　　　　　타워힐 역 M
템스강 　옥소 타워 　　　　　　　　　　런던탑
테이트 모던 　세익스피어 　런던 브리지 　세인트 캐서린
글로브 극장 　　　　　　독스 마리나
내셔널 시어터 　서더크 대성당 　에이치엠에스
로열 페스티벌 홀 　버러 마켓 S 　벨페스트
퀸 엘리자베스 홀 　M S 　타워 브리지
헤이워드 갤러리 　런던 브리지 역 헤이 갤러리아
런던아이 　M 서더크 역 　더 샤드 　버틀러스
런던 던전 M 워털루 역 　　　　　　워프 피어
T 워털루 역(기차) 　　　공원
시라이프 런던 　　　패션 직물 박물관
아쿠아리움 　M 버러 역
램버스 노스 역 　화이트 큐브 미술관
M 　타바드 가든
세인트 조지 대성당
램버스 궁전 　전쟁 박물관
정원 박물관
M 엘리펀트&캐슬 역
T 엘리펀트 캐슬 역(기차)

런던아이 London Eye

1999년 영국항공이 밀레니엄을 맞아 템스 강변에 세운 대관람차로 높이가 135m에 달한다. 자전거 바퀴 형상의 대형 휠에 32개의 관람 캡슐이 설치되어 있고 하나의 캡슐에 25명이 탑승할 수 있다. 한 바퀴 회전하는 시간은 30분. 대관람차의 독특한 모양과 대관람차에서 런던 일대를 조망하기 좋아 런던의 상징 중 하나로 여겨진다. 스폰서에 따라 런던아이 앞에 회사 이름이 붙고 홈페이지 예매 시 조금 할인된다.

교통 : 워털루(Waterloo), 웨스트민스터, 임뱅크먼트(Embankment) 역에서 도보 5분

주소 : Westminster Bridge Rd. London SE1 7PB

전화 : 0870-990-8881

시간 : 10:00~20:30 ※홈페이지 예약 필수, 온라인 할인

요금 : 온라인/현장_스탠더드 £30/42, 패스트 트랙 £45/57

홈페이지 : www.londoneye.com

런던 던전 The London Dungeon

런던판 귀신으로 집으로 1976년 개장했다. 중세의 고문 시설, 1665년의 참혹한 흑사병 현장, 1666년 런던 대화재 탈출, 1800년 잔혹한 복수를 한 이발사 스위니 토드, 1888년의 미스터리 살인범 잭 더 리퍼 등 16개 주제로 진행된다. 괴기하게 분장을 한 배우들이 돌아다니니 놀라지 말 것! 티켓 중 스탠더드는 줄에서 입장, 패스트 트랙은 바로 입장!

교통 : 워털루(Waterloo), 웨스트민스터, 임뱅크먼트(Embankment) 역에서 도보 5분

주소 : Westminster Bridge Rd, South Bank, London SE1 7PB

전화 : 020-7654-0809

시간 : 11:00~16:00 ※**홈페이지 예약 필수, 온라인 할인**

요금 : 온라인/현장_스탠더드 £26.5/35

홈페이지 :

www.thedungeons.com/london

시라이프 런던 아쿠아리움 SEA LIFE London Aquarium

1997년 개장한 아쿠아리움으로 2009년에 재개장했다. 수족관은 최대 용량 1,000톤의 수중 터널을 포함한 총 2,000톤 규모이고 이곳에서 귀상어, 해마, 해파리, 해달, 펭귄, 열대어 등 약 500종 1,000여 마리의 해양 동물을 관람할 수 있다. 수족관 관람은 민물고기 수조, 대서양 수조, 태평양 수조, 인도양 수조, 온대 및 열대 수조, 아마존강 수조 펭귄 전시장, 수중 터널 순으로 진행된다. 사람이 적은 아침 일찍 가야 편안하게 관람하기 좋다.

교통 : 워털루(Waterloo), 웨스트민스터, 임뱅크먼트(Embankment) 역에서 도보 5분

주소 : Westminster Bridge Rd, South Bank, London SE1 7PB

시간 : 주중 10:00~18:00, 주말 09:30~19:00 ※**홈페이지 예약 필수**

요금 : 온라인/현장_스탠더드 £28/40

홈페이지 :
www.visitsealife.com/london

로열 페스티벌 홀 Royal Festival Hall

복합문화 단지 사우스뱅크센터의 대표 공연장 중 하나다. 사우스뱅크센터는 로열 페스티벌 홀, 헤이워드 갤러리, 퀸 엘리자베스 홀, 페셀룸 등으로 이루어져 있다. 로열 페스티벌 홀은 1951년 영국 축제의 일환으로 설립되었고 객석은 2,930석, 퀸엘리자베스 홀은 1967년 설립되었고 객석은 900여 석, 퍼셀룸은 370석. 건물 아래 공간은 1970년대 초기 이래로 언제나 스케이트보드를 타는 청소년들로 북적이는 스케이트보드 천국! 공연장에서 클래식은 물론 재즈, 뮤지컬, 연극까지 다양한 공연이 열리는데 인기 공연은 조기 매진되므로 공연에 관심 있다면 홈페이지에서 예매하자. 아울러 로열 페스티벌 홀 일대에서 매년 흥겨운 축제가 벌어지므로 이 시기에 방문하는 것도 좋다.

교통 : 워털루(Waterloo) 역에서 북서쪽. 도보 4분

주소 : Southbank Centre, Belvedere Rd, South Bank, London SE1 8XX

전화 : 0844-875-0073

시간 : 10:00~23:00, 헤이워드 갤러리 11:00~19:00, 사우스뱅크센터 푸드 마켓_금/토 12:00/11:00~20:00, 일~월 12:00~18:00

휴무 : 로열 페스티벌 홀_12월 24~26일, 1월 1일, 헤이워드 갤러리_화요일

요금 : £10~50 내외

홈페이지 : www.southbankcentre.co.uk

내셔널 시어터 National Theatre

1848년 런던 출판업자인 에핑엄 윌슨이 내셔널 시어터 건립을 제안하고 1949년 설립된 연극 극장이다. 1963년 첫 공연으로 극장장 로렌스 올리비에 연출의 〈햄릿〉이 공연되었다. 1976년 오픈스테이지, 프로시니엄스테이지, 소극장 등 증개축 되었고 증·개축 기념

으로 극장장 피터 홀 연출의 〈힘릿〉이 공연되었다. 이때부터 여왕으로부터 공식적으로 내셔널 시어터 지위를 부여받았다. 이후 극장장으로 트레보 눈이 임명되며 다채로운 공연을 이어오고 있다. 같은 연극이라도 무대와 연출이 색달라 보는 재미가 있고 셰익스피어 연극이나 인기작은 언제나 조기 매진이므로 관심 있다면 예매를 서두르자.

교통 : 워털루(Waterloo) 역에서 북서쪽 로열 페스티벌 홀 지나. 도보 4분
주소 : Upper Ground, South Bank, London SE1 9PX
전화 : 020-7452-3000
시간 : 월~토 09:30~23:00
요금 : £10~50 내외

홈페이지 :
www.nationaltheatre.org.uk

테이트 모던 Tate Modern

1994년 템스 강변 방치된 뱅크사이드 화력발전소를 개조해 2000년 테이트 현대 미술관으로 개관하였다. 굴뚝이 있는 7층 보일러 하우스의 2~4층, 2016년 개관한 11층 블라바트닉 빌딩의 지상층과 2~4층을 전시실로 이용된다. 보일러 하우스 7층과 블라바트닉 빌딩 9층에 레스토랑, 보일러 하우스 1층과 지상층에 유럽 최대의 미술 서점이 있어 식사하거나 미술책을 사기 좋다. 블라바트닉 빌딩 10층은 템스강과 밀레니엄 브리지, 세인트 폴 대성당

등을 조망할 수 있는 전망대!

이곳 소장품은 주로 20세기 이후의 작품들로 1940~50년의 유럽과 미국 회화와 조각, 1960년대 후기의 조각은 물론 초현실주의, 큐비즘, 팝아트까지 다양한 작품을 전시한다. 미술관 지도는 현장에서 유료(£1)이니 홈페이지에서 내려받아 가면 편리! 사람 많으니 조금 조용히 둘러보려면 문 열기 전에 대기할 것!

교통 : 서더크(Southwark, 서우스 워크) 역에서 미술관 방향. 도보 9분
주소 : Bankside, London SE1 9TG
전화 : 020-7887-8888
시간 : 일~목 10:00~18:00, 금~토 10:00~22:00, 휴무 : 12월 24~26일
요금 : 상설전_무료, 기획전_유료
홈페이지 :
www.tate.org.uk/visit/tate-modern

셰익스피어 글로브 극장 Shakespeare's Globe

1997년 개관한 셰익스피어 전문 극장으로 17세기 엘리자베스 시대의 원형 극장을 재현했다. 원래 극장의 위치는 현 극장에서 남동쪽(Anchor Terrace, 125 Park St)에 위치. 원래 극장은 1599년경 건설되었고 1613년 〈헨리 8세〉 공연 중 소품으로 쓰인 대포 불꽃에 화재가 일어나 극장이 전소됐다. 1614년 재건되었으나 1642년 청교도 혁명으로 극장 문을 닫았고 1644년 극장이 파괴되었다. 전시장에서 셰익스피어의 삶과 연극 의상, 소도구 등을 살펴볼 수 있고 극장에서는 5~9월 셰익스피어의 대표작 〈로미오와 줄리엣〉, 〈햄릿〉, 〈맥베스〉, 〈베니스의 상인〉 등을 공연한다. 공연은 매우 인기가 높고 좌석이 많지 않아 예매하지 않으면 관람하기 힘들다.

교통 : 테이트 모던에서 도보 2분
주소 : 21 New Globe Walk, London SE1 9DT
전화 : 020-7902-1400

시간 : 09:00~17:00, 휴무 : 12월 24~26일 ※홈페이지 예약 필수
요금 : 야드(스탠딩) £5, 갤러리(좌석) £22~
홈페이지 :
www.shakespearesglobe.com

서더크(사우스워크) 대성당 Southwark Cathedral

런던 브리지 남쪽에 있는 성당으로 정식명칭은 세인트 세이비어 앤드 세인트 메리 오베리 교회(The Cathedral and Collegiate Church of St Saviour and St Mary Overie, Southwark)다. 건물의 주요 부분은 1220~1420년 고딕과 고딕리바이벌 양식으로 세워졌다. 초기 성모 마리아 에게 헌정된

아우구스티누스 수도회였다가 수도회가 해산되며 성당으로 변모했다.

셰익스피어 자주 미사를 드리러 왔다고 하고 이 때문인지 스테인드글라스에 셰익스피어의 연극을 묘사하고 있고 비스듬히 누운 셰익스피어의 조각도 보인다. 이곳에서 하버드 대학을 설립한 존 하버드가 세례를 받기도 했다. 근년에는 성당에서 밥을 빌어먹던 고양이 도어킨 마그니켓(Doorkins Magnificat)이 성당 마스코트(?)가 되어 인기!
교통 : 런던 브리지(London Bridge) 역에서 버로우 마켓 지나. 도보 2분
주소 : London Bridge, London SE1 9DA
전화 : 020-7367-6700
시간 : 월~금 09:00~17:00, 토 09:30~15:45, 17:00~18:00, 일 12:30~15:00, 14:00~18:00
홈페이지 :
https://cathedral.southwark.anglican.org

에이치엠에스 벨페스트 HMS Belfast
1938년 진수된 순양함으로 중량 11,553톤, 길이 187m, 속도 시속 59km. 순양함은 항공모함, 전함보다 작고 구축함보다 큰 전투함. 제2차 세계 대전 때 노스케이프 전투, 노르망디 상륙작전 등에서 활약했고 1950~

1952년 한국전에도 참전했다. 1971년부터 박물관으로 사용되어 함선의 함포, 조타실, 선실 등을 살펴볼 수 있다.

교통 : 런던 브리지(London Bridge) 역에서 도보 5분
주소 : The Queen's Walk, London SE1 2JH
전화 : 020-7940-6300
시간 : 10:00~18:00, 휴무 : 12월 24~26일
요금 : 기부 불포함 £25.45 기부 포함 £28.
홈페이지 :
www.iwm.org.uk/visits/hms-belfast

더 샤드 The Shard
런던 브리지 남쪽, 날카로운 피라미드 모양의 95층 빌딩이다. 건축가 렌조 피아노의 설계로 2009년 착공해 2012년 완공하였다. 영국과 유럽연합에서 가장 높은 빌딩으로 높이는

309.7m. 34~52층은 샹그릴라 호텔, 68~72층은 전망대(72층은 야외), 73~95층은 첨탑, 나머지는 사무실로 이용된다. 전망대에서 북동쪽으로 런던탑과 타워 브리지, 동쪽으로 카나리 와프, 북서쪽으로 잉글랜드 은행과 세인트 폴 대성당, 서쪽으로 런던아이와 빅벤, 국회의사당 등이 한눈에 들어온다. 여름 성수기 티켓 예매 필수, 석양을 보려면 홈페이지의 일몰 시각 참조하여 예약!
교통 : 런던 브리지(London Bridge) 역에서 도보 2분
주소 : 32 London Bridge St, London SE1 9SG
전화 : 0844-499-7111
시간 : 4~10월_10:00~22:00, 11~3월 일~수/목~토 10:00~19:00/22:00
요금 : £28.5 ※홈페이지 예약 필수
홈페이지 :
www.theviewfromtheshard.com

램버스 궁전(정원) Lambeth Palace(Garden)
1207~1209년 템스 강변에 처음 세

워졌고 1834년 네오고딕 양식으로 재건축되었다. 원래 캔터베리 대주교의 저택이었다가 궁전으로 바꿨으나 여전히 캔터베리 대주교의 런던 방문 시 숙소로 이용된다. 5월~9월 첫 번째 금요일 짧은 시간 정원이 개방되는데 이때 20만 권의 장서를 보유한 도서관, 1197년 세워진 크립트 채플, 허브와 무화과나무 등이 있는 정원을 둘러볼 수 있다. ※2024년 현재 궁전 리모델링 중 2025년 궁전 투어 개시 예정

교통 : 웨스트민스터 역에서 다리 건너 우회전, 궁전 방향. 도보 14분

주소 : Lambeth Palace Rd, South Bank, London SE1 7LB

전화 : 020-7898-1200

시간 : 정원_5~9월 첫 번째 금요일 12:00~15:00 ※홈페이지 참조

요금 : 정원_£5

홈페이지 : www.archbishopofcanterbury.org/about/lambeth-palace/visit-lambeth-palace

정원 박물관 Garden Museum

1977년 설립된 박물관으로 램버스의 세인트 메리 교회 건물을 이용한다. 이는 교회 철거를 막기 위한 것이었다고. 1981년 박물관 정원인 놋 가든(kont garden)이 17세기 스타일로 만들어졌는데 이곳에서 영국에서 가장 저명한 정원사이자 식물 수집가인 존 트레이즈캔트(John Tradescant)의 묘를 볼 수 있다. 박물관에서 영국 정원과 정원 가꾸기와 관련된 자료 및 용품 9,000여 점을 볼 수 있고 박물관 카페에서 제철 재료로 만든 식사를 맛보기 좋다.

교통 : 웨스트민스터 역에서 다리 건너 우회전, 궁전 방향. 도보 14분

주소 : 5 Lambeth Palace Rd,

South Bank, London SE1 7LB
전화 : 020-7401-8865
시간 : 10:30~17:00(토 ~16:00)
요금 : 성인 £15, 학생 £8.5
홈페이지 :
https://gardenmuseum.org.uk

전쟁 박물관 Imperial War Museum
1920년 개관한 박물관으로 제1차 세계 대전부터 현재에 이르는 영국과 영연방의 전쟁사를 전시한다. 박물관 앞 대형 대포가 인상적이고 내부로 들어가면 섹션별 전시장에서 제1차 세계 대전 때 입었던 군복과 쌍엽 비행기, 독일군의 암호기기 에니그마, 일본군의 제로 전투기, 제2차 세계 대전 때의 스피릿 파이어 전투기, 무전기 등을 볼 수 있다. 유대인학살 전시실에서는 아우슈비츠 수용소 모형, 유대인의 참상을 찍은 흑백 사진, 유품 등이 있어 평화의 소중함을 일깨워준다.

교통 : 램버스 노스 런던(Lambeth North London) 역에서 도보 7분
주소 : Lambeth Rd, London SE1 6HZ
전화 : 020-7416-5000
시간 : 10:00~18:00, 요금 : 무료
홈페이지 : www.iwm.org.uk

지라피 Giraffe Southbank

로열 페스티벌 홀 내의 패밀리 레스토랑으로 템스강 풍경을 즐기며 식사하기 좋은 곳! 메뉴는 타파스, 치킨 누들, 라이스 볼(볶음밥), 버거, 부리또, 샐러드 등으로 다양하다. 오전이라면 블랙퍼스트나 브런치 메뉴를 주문해도 괜찮고 저녁이라면 칵테일이나 맥주 한 잔을 해도 즐겁다. 단, 런던아이에서 가깝고 템스강 조망이 좋아 항상 사람들로 붐빈다는 것!

교통 : 워털루(Waterloo) 역에서 로열 페스티벌 홀 방향. 도보 6분

주소 : Riverside, 337-338 Belvedere Rd, South Bank, London SE1 8XX

전화 : 020-7042-6900

시간 : 월~목 08:00~23:00, 금 ~23:30, 토 09:00~23:30, 일 ~22:30

메뉴 : 솔트페퍼 스퀴드(오징어) £4.95, 카라지 치킨 £5.95, 치킨 누들

£12.5, 라이스 볼 £7.95, 카티롤 £9.5, 클래식 버거 £10.95 내외

홈페이지 : www.giraffe.net

구르메 피자 Gourmet Pizza Co.

런던 시어터 지나 런던 텔레비전센터 부근에 있는 피자 레스토랑이다. 여느 피자 레스토랑처럼 메인은 피자와 파스타인데 고급 이탈리안 레스토랑에 못지않은 맛(?)을 자랑한다. 잘 구워진 피자가 군침을 돌게 하고 제법 올라간 토핑도 푸짐해 보인다. 스타터+메인 또는 메인+디저트 정도 주문하면 적당!

교통 : 워털루 역에서 런던 텔레비전센터 방향. 도보 8분

주소 : 56 Upper Ground, South Bank, London SE1 9PP

전화 : 020-7928-3188

시간 : 월~토 11:30~23:00, 일

12:00~22:30

메뉴 : 마르게리따 피자 £9.95, 트로피안 핫 피자 £13.95, 린귀니 £13.45, 하우스 샐러드 £5.35 내외

홈페이지 :

www.gourmetpizzacompany.co.uk

리얼 그리스 The Real Greek Bankside

세계의 레스토랑이 모여 있는 런던에 만나는 그리스 레스토랑이다. 메뉴 중 3코스의 그리스 트리오, 푸짐한 요리한 접시 그리스 플레이트, 수블라키 랩&사이드 중에 고를 수 있는 런치 세트와 다단 트레이에 나오는 2인 메뉴 퍼펙트 포 셰어링이 가성비가 높다. 그냥 그리스 샐러드에 메인인 콜드 메제, 핫메제, 그릴드 메제 중에서 하나를 선택해도 괜찮다.

피클 느낌의 그리스 올리브에 그리스 미토스 맥주를 곁들여도 즐겁다.

교통 : 런던 브리지(London Bridge) 역에서 셰익스피어 글로브 방향. 도보 8분

주소 : 1&2, Riverside House, 2A Southwark Bridge Rd, London SE1 9HA

전화 : 020-7620-0162

시간 : 12:00~23:00, 일 ~22:30

메뉴 : 런치 세트(12:00~17:00) £8.75 / 올데이 세트(2인분) £38 · £42 내외

홈페이지 :

www.therealgreek.com/bankside

스카치테일 Scotchtails

버러 마켓에는 어린 돼지 바비큐, 소시지, 리조토, 빵, 케이크 등 먹거리가 넘친다. 그중 서더크 대성당 옆 노점 스카치테일에서 명물 스카치 에크를 맛보아도 즐겁다. 영국 간식 스카치 에크는 삶은 달걀을 넣은 다진 소고기 튀김으로 소고기 튀김의 바삭함에 달걀의 고소함이 맛있게 조화를 이룬다. 양을 생각하면 케이준 스타일의 감자튀김과

스카치 에크가 함께 나오는 밀 박스를 주문하자.

교통 : 런던 브리지 역에서 서더크 대성당 방향. 도보 2분

주소 : 8 Southwark St, London SE1 9QG

시간 : 10:00~17:00, 휴무 : 일요일

메뉴 : 포크 스카치 에그 £4.5, 스카치 에크 오브 데이 £4.5, 밀 박스 £6.9, 포테이토 프라이 £3 내외

홈페이지 : www.scotchtails.com

올 바 원 버틀러스 와프 All Bar One Butler's Wharf

버틀러스 와프에 있는 바로 타워브리지, 런던탑을 바라보며 식사하거나 맥주 한 잔하기 좋은 곳이다. 버틀러스 와프는 창고 건물이 있는 옛 부두 지역으로 창고는 수명을 다하고 현재 사무실, 레스토랑, 카페 등으로 이용된다. 창고 길 사이로 여러 공중 다리가 있어 독특한 풍경을 자랑한다. 이 때문에 예전 뮤직비디오, 화보의 촬영지가 되기도 했다.

교통 : 런던 브리지 역에서 동쪽, 버틀러스 와프 방향. 도보 11분

주소 : 34 Shad Thames, London SE1 2YG

전화 : 020-7940-9771

시간 : 09:00~23:00, 일 ~22:30

메뉴 : 풀 블랙 퍼스트 £8.95, 에그베네딕트 £7.95, 아보카도 브루게스타 £6.75, 메제 보드 £15.95, 클래식 버거 £10.95, 피시&칩스 £12.95, 치킨 퀘사디야 £8.5 내외

홈페이지 : www.allbarone.co.uk

가든 카페 Garden Cafe

성당 건물을 사용하는 정원 박물관 내에 있는 카페로 신선한 제철 음식을 제공해 방문객의 인기를 끈다. 메뉴는 스타터, 메인, 디저트로 구분되고 스타터 없이 메인만 주문해도 상관없다. 메인은 매일 달라지는데 다른 사람이 식

사하는 것을 보고시켜도 괜찮다. 식사
하지 않을 사람은 정원에 나가 커피
한잔!
교통 : 웨스트민스터 역에서 다리 건너
우회전, 정원 박물관 방향. 도보 14분
주소 : 5 Lambeth Palace Rd,
South Bank, London SE1 7LB
전화 : 020-3640-9322

시간 : 10:00~17:00, 런치_12:00~
15:00(토 ~14:00), 디너_화·금 18:00
~21:00
메뉴 : 스타터 £9~10, 메인 £17~37,
디저트 £8~9 내외
홈페이지 :
https://gardenmuseum.org.uk/cafe

*쇼핑

버러 마켓 Borough Market

런던에서 가장 오래된 시장으로 영화
〈브리짓 존스의 일기〉에 등장했고 셰프
제이미 올리버, 고든 램지도 종종 찾는

다는 곳! 1276년 처음 문을 열었고
건물은 1851년 설계한 것이다. 이후
증·개축을 거쳐 아케이드 시장이 되었
다. 월~화는 제한적 영업, 수~토는 전
체 영업(소매)으로 운영된다. 주로 식품
위주의 시장이고 바비큐, 소시지, 스카
치 에크 등 길거리 먹거리도 풍성한
편!
교통 : 런던 브리지 역에서 서쪽, 마켓
방향. 도보 1분
주소 : 8 Southwark St, London
SE1 1TL
전화 : 020-7407-1002
시간 : 월~목 10:00~17:00, 금 ~18:00,
토 08:00~17:00, 휴무 : 일요일
홈페이지 :

http://boroughmarket.org.uk

헤이 갤러리아 Hay's Galleria

1850년대 헤이 부두 건물을 현대적 아케이드 쇼핑가로 바꾼 곳이다. 천장 높은 아케이드만 웅장하고 멋지다. 이곳은 1850년대 세계 각지에서 물건, 식품을 실은 무역선이 들어와 런던의 식품실(Larder of London)로 불렸다. 150년 전에는 인도와 중국에서 차 무역선이 들어오기도 했다.

교통 : 런던 브리지 역에서 동쪽, 헤이 갤러리아 방향. 도보 2분

주소 : 1 Battle Bridge Ln, London SE1 2HD

전화 : 020-7403-1041

시간 : 월~금 08:00~23:00, 토 09:00~23:00, 일 09:00~22:30

05 켄싱턴~첼시 Kensington~Chelsea

켄싱턴과 첼시, 노팅힐을 아우르는 지역으로 정식명칭은 로열버러오브켄싱턴&첼시 (Royal Borough of Kensington&Chelsea, RBKC). 이 지역은 런던에서 가장 작고 잉글랜드에서 두 번째로 작은 구로 첼시는 부촌으로 알려져 있다.

켄싱턴 궁전은 한때 다이애나비가 살았고 노팅힐은 노팅힐 카니발과 포토벨로 마켓, 영화 〈노팅힐〉로 유명하다. 이곳에는 자연사 박물관, 과학박물관, 빅토리아 앨버트 박물관, 사치 미술관 같은 박물관과 미술관이 있어 다양한 전시를 보기 좋고 최고급 백화점인 해러즈, 명품 쇼핑가 슬론 거리에서 쇼핑하기도 괜찮다.

켄싱턴 가든과 하이드 파크는 웨스트민스터 지역에 속하지만, 켄싱턴&첼시 지역을 볼 때 함께 둘러보는 것이 편리하다.

▲ 교통

① 하이드 파크_지하철 마블 아치(Marble Arch), 랭커스터 게이트(Lancaster Gate), 하이드 파크 코너(Hyde Park Corner), 나이츠 브리지(Knightsbridge) 역

② 켄싱턴 가든, 켄싱턴 궁전_퀸스웨이(Queensway) 역

③ 빅토리아 앨버트 박물관, 자연사 박물관_사우스 켄싱턴(South Kensington) 역

④ 노팅힐, 포토벨로 마켓_노팅힐 게이트(Notting Hill Gate) 역

⑤ 사치 갤러리, 로열 코트 시어터_슬론 스퀘어(Sloane Square) 역 하차

▲ 여행 포인트

① 하이드 파크에서 스피커스 코너, 로즈 가든 들려, 산책하기

② 켄싱턴 궁전과 켄싱턴 가든 둘러보기

③ 빅토리아 앨버트 박물관, 자연사 박물관, 과학박물관 관람하기

④ 해러즈 백화점, 슬론 스트리트에서 쇼핑 즐기기

⑤ 노팅힐의 포토벨로 마켓, 영화 〈노팅힐〉 여행 서점 둘러보기

⑥ 사치 갤러리에서 재기 넘치는 현대 미술 감상하기

▲ 추천 코스

사치 갤러리→빅토리아&앨버트 박물관→자연사 박물관→과학박물관→로열 앨버트 홀→켄싱턴 가든&하이드 파크→

켄싱턴 궁전→노팅힐 포토벨로 마켓→여행 서점

〈하이드 파크〉

하이드 파크 Hyde Park

140 헥타르(ha)로 런던에서 가장 큰 공원이자 왕립 공원이다. 원래 웨스트민스터 사원의 수도사 소유였다가 1536년 헨리 8세 때부터 왕실 소유가 되었고 1635년 이후 일반에 개방되었다. 공원 서쪽으로 110헥타르(ha)의 켄싱턴 가든 공원과 연결되어 있고 공원 남쪽으로 길쭉한 서펜틴 호수가 있다. 드넓은 잔디밭이 인상적이고 주요 시설로는 1800년대 중반 이래 대중 연설과 토론이 벌어지던 스피커스 코너, 남쪽에 다양한 장미가 심어진 로즈 가든, 남서쪽에 2004년 다이애나 왕비를 추모하기 위해 세워진 다이애나 메모리얼 파운틴 등이 있다. 하이드 파크 북쪽, 마블 아치는 1827년 건축가 존 내시의 설계로 세운 대리석 개선문으로

1825년 영국이 나폴레옹과의 전투에서 승리한 것을 기념하기 위한 것이다. 원래 버킹엄 궁전의 정문이었으나 마차가 문을 통과하기 어려워, 1851년 현재의 위치로 옮겼다.

교통 : 마블 아치(Marble Arch), 랭커스터 게이트(Lancaster Gate), 하이드 파크 코너(Hyde Park Corner), 나이츠 브리지(Knightsbridge) 역에서 바로

주소 : Hyde Park, Rangers Lodge, Hyde Park, London, W2 2UH

전화 : 0300-061-2000

시간 : 05:00~24:00

홈페이지 :
www.royalparks.org.uk/parks/hyde-park

앱슬리 하우스 Apsley House

웰링턴가의 소장품을 전시하는 미술관 겸 박물관이다. 원래 1771~1778년 네오클래식(네오고딕) 양식으로 세워진 앱슬리 공의 저택이었다. 1807년 웰링턴 가에서 인수하였고 1818~1819년 건물 전면에 삼각형의 박공벽과 코린트식 기둥이 있는 외관으로 개축하였다. 1947년 국가에 기증되었고 2004년부터 잉글리시 헤리티지에서 관리한다. 주요 전시품은 훈장, 군복, 데드마스트 등 웰링턴 공의 유품과 루벤스, 벨라스케스, 카노바 등의 회화 작품 등이 있

다. 웰링턴은 영국 연합군과 나폴레옹 간의 워털루 전쟁 때 공을 세운 영국 총사령관이자 정치가!

교통 : 하이드 파크 코너(Hyde Park Corner) 역에서 바로

주소 : 149 Piccadilly, London W1J 7NT

전화 : 020-7499-5676

시간 : 여름_수~일 11:00~17:00, 겨울_토~일 10:00~16:00

요금 : 온라인 주중_기부 불포함 £10, 기부 포함 £11 ※홈페이지 예매 필수

홈페이지 :
www.english-heritage.org.uk/visit/places/apsley-house

웰링턴 아치 Wellington Arch

1825년 조지 4세가 나폴레옹과의 전투에서 승리한 것을 기념하여 마블 아치와 함께 세운 것이다. 웰링턴 아치는 신고전주의 양식으로 만들어졌고 내부에 런던 아치의 역사에 관한 전시장, 상부에 주위를 전망할 수 있는 테라스가 있다.

교통 : 하이드 파크 코너(Hyde Park Corner) 역에서 바로

주소 : Apsley Way, London W1J 7JZ

시간 : 10:00~16:00

요금 : 온라인 주중_기부 불포함 £5.9, 기부 포함 £6.5

홈페이지 : ※홈페이지 예매 필수 www.english-heritage.org.uk/visit/places/wellington-arch

〈켄싱턴〉

켄싱턴 가든 Kensington Gardens

1728~1738년 켄싱턴 궁전의 정원으로 만들어졌고, 후에 일반에 개방되었다. 공원은 대부분 넓은 잔디밭이고 면적은 1.1㎢이다. 공원 동쪽으로 하이드 파크와 접해 있고 공원 내에 라운드 연못, 서펜타인 갤러리, 앨버트 공을 추모하는 앨버트 메모리얼, 동화 속 주인공인 피터 팬 조각상 등이 위치한다. 피터팬 조각상은 1921년 켄싱턴 가든 내 롱워터 호숫가에 세워졌는데 이는 작가 배리가 이곳에서 동화의 영감을 얻은 것이 기인한 것이다.

교통 : 퀸즈웨이(Queensway) 역, 랭커스터 게이트(Lancaster Gate) 역에

서 바로

주소 : Kensington Gardens, London W2 3XA

전화 : 0300-061-2000

시간 : 06:00~21:00

홈페이지 : www.royalparks.org.uk

켄싱턴 궁전 Kensington Palace

17세기 초 노팅엄 공작의 저택으로 세워진 궁전으로 이후 영국 왕실의 숙소로 사용되었다. 1694년 메리 여왕이 이곳에서 홍역으로 사망하였고 1702년 윌리엄 왕이 햄프턴 궁에서 승마하다 낙상한 뒤 이곳으로 옮겨져 죽음을 맞았으며 이후 앤 여왕의 숙소로도 사용되었다. 1997년까지는 다이애나 왕세자빈의 숙소로 사용되어 일반에 다이애나의 흔적이 남아 있는 곳으로 각인되었다. 궁전 내 왕의 계단 벽에서 윌리엄 켄트가 그린 18세기 법정 모습을 볼 수 있고 켄싱턴 궁전에서 가장 크고 긴 방인 킹스 갤러리에서는 반 다이크가 그린 찰스 1세의 초상 같은 왕가의 예술품을 감상할 수 있다. 이외 엘리자베스 여왕과 다이애나 왕세자빈의 드레스 같은 왕가 예복 등에도 눈길이 간다.

교통 : 퀸즈웨이(Queensway) 역에서 남쪽, 궁전 방향. 도보 7분

주소 : Kensington Gardens, London W8 4PX

전화 : 020-3166-6000

시간 : 10:00~18:00(1~2월 ~16:00),

휴무 : 12월 24~26일

요금 : 성인 £24, 어린이 £16

홈페이지 :

www.hrp.org.uk/kensington-palace

로열 앨버트 홀 Royal Albert Hall

1871년 건립된 원형 극장으로 빅토리아 여왕의 남편인 앨버트 공이 로마 시대 원형 극장을 염두에 두고 세웠다. 원래 3만 명이 들어가는 초대형 극장을 계획했으나 재정난으로 5천 명을 수용하는 극장이 되었다. 1895년 이래

매년 여름 8주 동안의 콘서트 시리즈 〈더 프롬스(The Proms)〉가 열리고 클래식은 물론 비틀즈, 롤링 스톤스, 지미 헨드릭스, 레드 제플린, 핑크 플로이드 같은 대중음악 공연도 펼쳐져 영국 문화의 중심으로 여겨진다. 한국에서 보기 힘든 팝스타의 공연에 눈길이 가고 인기 공연은 조기 매진되므로 홈페이지에서 예약을 서두르자.

교통 : 사우스 켄싱턴(South Kensington) 역에서 북쪽, 자연사 박물관 지나. 도보 13분
주소 : Kensington Gore, Kensington, London SW7 2AP
전화 : 020-7589-8212
홈페이지 : www.royalalberthall.com

과학 박물관 Science Museum
1857년 사우스 켄싱턴 박물관(현 빅토리아&앨버트 박물관) 부설 예술과 과학기술 박물관으로 개관했다. 당시 전시품은 1851년 하이드 파크에서 열렸던 만국 박람회의 과학기술 전시품을 기반으로 했다. 1909년 과학기술 부분 전문 박물관으로 되면서 현재의 이름으로 개칭되었다. 1964년 현재의 자리로 이전하였고 영국의 과학기술, 의학 등에 관련된 기구와 기계류 약 30만 점을 전시한다. 전시는 농업, 화학, 환경, 천문, 우주, 생명과학, 운송 등 10개 주제에 따라 전시하는데 이중 제임스 와트의 증기기관, 산업혁명 당시의 대형 방직기 등이 눈길을 끈다. 이들 기계는 지금 보아도 손색(?)없는 동력에 의한 대량 생산 기계여서 당시의 엄청난 파급효과를 짐작하게 한다. 당시 영국이 증기기관과 방직기로 세계를 제패했다고 해도 무방!

교통 : 사우스 켄싱턴(South Kensington) 역에서 북쪽, 자연사 박물관과 빅토리아 앨버트 박물관 사이. 도보 5분
주소 : Exhibition Rd, Kensington, London SW7 2DD
전화 : 0333-241-4000

시간 : 10:00~18:00, 요금 : 무료
홈페이지 :
www.sciencemuseum.org.uk

빅토리아 & 앨버트 박물관 Victoria & Albert Museum

1852년 개관한 장식예술(공예) 박물관
으로 이는 1851년 하이드 파크에서
열렸던 세계 최초의 만국 박람회의 성
공적인 개최를 자축하고자 한 것이다.
이 무렵 영국은 산업혁명에 따른 산업
기술력과 각지에서 수집, 발전시킨 예
술적 성취가 최고조에 이르렀다. 박물
관의 원래 마르코 폴로 하우스에 있었
다가 1857년 현재의 사우스 켄싱턴으
로 이전하고 1899년 박물관이 증축하
며 이를 주도한 여왕과 여왕의 남편
이름으로 개칭되었다.

전시는 층별로 레벨 0층(터널 입구)의
중세&르네상스, 근대 등 유럽 작품, 레
벨 1층의 중세&르네상스, 라파엘로,
조각 등 유럽 작품, 불교, 중국, 중동,
한국 등 아시아 작품, 레벨 2층의 영
국, 중세&르네상스 등 유럽 작품, 레벨
3층의 금과 은, 보석, 조각 등 공예 작
품, 레벨 4층의 영국 근대 작품과 건
축, 유리 공예 등의 공예 작품, 레벨 6
층의 도자기, 가구 등 공예 작품 등으
로 구분된다. 이중 박물관이 추천하는
라파엘로 작품, 닭 모양의 베텔 넛
(Betel nut) 수납함, 엘사 스키아페넬
리의 이브닝코트, 피투 타이거 조각상,
아르다빌 카펫, 마자린 체스트 목함,
블레셋인을 죽이는 삼손 조각, 글로스
터 촛대, 레오나르도 다빈치의 노트북
등 20가지 작품을 놓치지 말자.

현재 145개 전시장에 소장품은 460만
여 점에 이르고 전체 관람 코스는 약
11km에 달하므로 미리 홈페이지에서
지도(현장 유료)를 내려받아 원하는 것
만 보는 것이 효율적!

교통 : 사우스 켄싱턴(South Kensingto-
n) 역에서 북쪽, 박물관 방향. 도보 4분
주소 : Cromwell Rd, Knightsbridge,

London SW7 2RL
전화 : 020-7942-2000
시간 : 10:00~17:45, 금요일 10:00~
22:00, 휴일 : 12월 24~26일
요금 : 무료 ※기획전 유료
홈페이지 : www.vam.ac.uk

자연사 박물관 Natural History Museum

1881년 대영 박물관에서 분리되어 개관한 자연사 박물관으로 화석, 생물 표본, 광석 등 7,000만 점을 소장하고 있다. 전시장은 거대한 공룡과 동물, 고래 등의 골격과 표본을 볼 수 있는 블루 존, 다양한 화석과 새 표본이 있는 그린 존, 화산과 지진 현상을 알려주는 레드 존, 다윈 센터의 400년 전 수집된 식물과 곤충 표본을 볼 수 있는 오렌지 존 등으로 구분된다. 이중 멸종된 도도새 표본, 화성 운석, 제임스 쿡 선장이 수집한 동식물 표본 등이 눈길을 끈다. 크기 면에서는 거대한 공룡, 고래 골격과 표본이 보는 이의 눈을 압도하게 한다. 박물관이 넓고 전시품이 많으므로 홈페이지에서 지도 내려받아 원하는 것만 보는 것이 효율적!
교통 : 사우스 켄싱턴(South Kensington) 역에서 북쪽, 박물관 방향. 도보 4분
주소 : Cromwell Rd, Kensington, London SW7 5BD
전화 : 020-7942-5000
시간 : 10:00~17:50, 휴일 : 12월 24~26일, 요금 : 무료 ※기획전 유료
홈페이지 : www.nhm.ac.uk

노팅힐 Notting Hill

런던 시내 서쪽의 한적한 마을로 우리에게는 1999년 줄리아 로버츠와 휴 그랜드 주연의 영화 〈노팅힐〉로 알려진 곳이다. 골동품 상점이 늘어선 포토벨로 거리에 있던 휴 그랜트의 여행 서점은 여행객들이 즐겨 찾는 장소가 되기도 했다. 포토벨로 마켓의 벼룩시장

이 열리는 토요일(메인 데이)에는 사람들로 북적이지만, 평일에는 한산하니 참고! 매년 8월 마지막 주말에는 카리브해 출신 이주자의 거리 축제로 시작한 노팅힐 카니발이 열리니 시기에 맞춰 여행 계획을 잡아도 좋다.

교통 : 노팅힐 게이트(Notting Hill Gate) 역에서 북쪽, 포토벨로 마켓 방향. 도보 11분
주소 : Portobello Road, London W11 1LA

≫포토벨로 마켓 Portobello Market
1800년대 이래 시장이 열렸고 1950년대부터 골동품(앤티크)으로 유명해진 곳이다.토요일이 좌판과 사람이 몰리는 메인 데이이고, 월~목요일은 일부 좌판(스톨), 금요일은 앤티크 데이로 운영된다. 일요일은 휴무! 사람 몰리는 토요일은 소매치기도 모이는 지갑 분실 주의! 상품 살 때 흥정도 빼놓지 말자. 금~토요일은 독일(?) 소시지, 칩스(영

국), 빠에야(스페인) 같은 세계 음식 좌판도 열리니 관심을 가져보자.

위치 : 노팅힐 거리
시간 : 월~수 09:00~18:00, 목 09:00~13:00, 금 09:00~19:00(앤티크), 토요일 09:00~19:00(메인 데이), 일 휴무(카페, 레스토랑은 오픈)
홈페이지 :
www.portobelloroad.co.uk/the-market

≫여행 서점 The travel bookshop

1999년 개봉한 영화 〈노팅힐〉 휴 그랜트가 분한 윌리엄 태커가 운영하던 여행 서점이다. 줄리아 로버츠가 분한 애나 스콧(유명 배우)이 여행 서점으로

들어오며 둘의 이야기가 시작된다. 현재는 기념품점으로 운영된다.

교통 : 노팅힐 게이트 역 쪽에서, 포토벨로 로드 방향, 도보 12분

주소 : 142 Portobello RdLondon W11 2DZ

≫블루 도어(윌리엄의 플랫) The Blue Door(William's Flat)

영화 〈노팅힐〉에서 윌리엄 태커가 괴팍한 예술가 웨일스 스파이크와 살던 집이다. 오렌지 주스를 사 오던 윌리엄 태커와 충돌한 애나 스콧은 옷을 버리고 미안해진 윌리엄 태커가 파란 문의 자기 집으로 데려가 옷을 갈아입게 하면서 둘의 감정이 싹튼다. 이 집은 한때 영화 〈노팅힐〉의 시나리오 작가인 리처드 커티스의 소유였다가 지금은 다른 사람이 주인이다.

교통 : 여행 서점에서 두 블록 더 간 뒤, 좌회전 바로

주소 : 280 Westbourne Park Rd, London W11 1EH

〈첼시〉

로열 코트 시어터 The Royal Court Theatre

1870년 개관한 극장으로 20세기 영국 연극사에 큰 공헌을 한 곳이다. 1904~1907년 입센, 예이츠, 쇼 등의 작품과 근대극, 1920년대 버나드 쇼의 〈메서셀러로 돌아가라〉과 현대적으로 해석한 셰익스피어 극, 1956년 이후 오즈번의 〈노여움 품고 뒤를 봐라〉, 아덴의 〈머스글레이브 중사의 댄스〉, 아든, 웨스커, 핀터 등의 신인 작가 작품, 베케트, 이오네스코, 주네 등 외국 전위작가의 작품을 공연하였다. 요즘도 영국 연극은 물론 제삼 세계, 프린지 연극까지 볼 수 있어 관심을 끈다. 홈페이지 예약 필수!

교통 : 슬론 스퀘어(Sloane Square) 역에서 바로

주소 : Sloane Square, Chelsea, London SW1W 8AS
전화 : 020-7565-5000
요금 : £12~ ※작품별로 다름
홈페이지 :
https://royalcourttheatre.com

사치 갤러리 Saatchi Gallery

1985년 런던 북서쪽 세인트존스우드에서 개관한 미술관으로 광고 사업가이자 미술품 수집가 찰스 사치가 세웠다. 2003년 사우스뱅크의 카운티 홀을 거쳐, 2008년 첼시 지역으로 이전하였다. 사치는 훗날 영국 미술계를 주도한 데미언 허스트, 제니 사빌, 사라 루카스 등 영국의 청년작가들(YBAs, Young British Artists)을 발굴한 것으로 유명하다. 1997년 영국의 청년작가들의 작품전인 〈센세이션〉은 영국 현대미술계에 신선한 바람을 불러일으켰다. 현재 사치 컬렉션은 물론 중국과 중동 아시아 등의 작품도 활발히 전시

하고 있다.
교통 : 슬론 스퀘어 역에서 서쪽, 갤러리 방향. 도보 3분
주소 : Duke of York's HQ, King's Rd, Chelsea, London SW3 4RY
전화 : 020-7811-3070
시간 : 10:00~18:00, 요금 : £10 내외 ※전시별로 다름
홈페이지 : www.saatchigallery.com

칼라일의 집 Carlyle's House

스코틀랜드 출신의 역사가이자 철학자 칼라일과 그의 아내 제인 칼라일이 살았던 집이다. 칼라일은 독일 고전철학과 반동적 낭만주의의 영향을 받았고 훌륭한 인간의 표상인 영웅숭배를 주장한 인물! 이 집은 1708년 조지안 테라스 하우스로 세워졌고 칼라일 사망한 지 14년 후인 1895년 일반에 공개되었다. 건물 지하에 부엌, G/F층 응접실, 1층에 서재와 제인의 침실 2층에 칼라일의 침실이 있었다. 현재 이곳에

서 당시(?)의 가구, 사진, 초상화, 서적 등을 볼 수 있다.

교통 : 슬론 스퀘어 역에서 서쪽, 킹스 로드 직진 후 좌회전. 도보 20분

주소 : 24 Cheyne Row, Chelsea, London SW3 5HL

전화 : 020-7352-7087

시간 : 수~일 11:00~17:00, 휴무 : 월~화요일, 요금 : £10 내외

홈페이지 : www.nationaltrustcollections.org.uk/place/carlyle's-house

첼시 올드 교회 Chelsea Old Church

1157년 처음 세워진 교회로 1528년 정치가이자 인문학자인 토머스 모어가 교회 남쪽에 개인 채플을 짓기도 했다. 1941년 제2차 세계 대전 때 폐허가 되었고 1954년 옛 모습으로 재건되었다. 교회는 헨리 8세가 세 번째 부인 인 제인 시모어와 결혼서약을 맺은 곳 이기도 하다. 당시 대법관이자 헨리 8 세의 친구였던 토머스 모어는 헨리 8 세와 첫 번째 부인인 캐서린과의 이혼 에 반대하고 헨리 8세가 가톨릭과 결 별하고 영국 국교회(성공회) 수장이 되 는 것까지 반기를 들었다. 그는 결국 런던탑에 갇혔고 1535년 처형되었다. 이런 연유로 그는 양심과 신념을 지킨 위대한 학자로 여겨진다. 교회 마당에 서 중세 때 관리 목이나 어깨 두르던 체인오브오피스(Chain of office)를 무 릎 위에 내려놓은 토머스 모어의 좌상 을 볼 수 있다.

교통 : 칼라일의 집에서 템스강 쪽으로 가다가 우회전. 도보 3분

주소 : 64 Cheyne Walk, Chelsea, London SW3 5LT

전화 : 020-7795-1019

시간 : 화~금 09:30~14:00 ※일 08:00~18:00(미사)

홈페이지 : www.chelseaoldchurch.org.uk

*레스토랑&카페

와사비　　스시&벤또　　Wasabi Sushi&Bento

해외여행에서 입맛 없을 때 밥이 최고다. 이럴 때 벤또, 덮밥, 카레라이스 등이 있는 와사비 스시&벤또가 반갑다. 이들 음식은 테이크아웃 하여 숙소에서 먹을 수도 있고 매장 내 간이 테이블에서 맛볼 수도 있다. 카레 덮밥, 카레라이스는 일본에서 맛보았던 바로 그 맛인데 정작 창립자 이름은 한국분(?)! 어쨌든 간편히 한 끼 먹기 좋은 곳!

교통 : 나이츠브리지(Knightsbridge) 역에서 도보 3분

주소 : 56-58 Brompton Rd., Knightsbridge, London SW3 1BW

전화 : 020-7581-5682

시간 : 10:30~21:00, 일 ~20:00

메뉴 : 치킨 커리 벤또, 치킨 데리야끼

(덮밥), 스시, 치라시(스시) 샐러드 £6 내외

홈페이지 : https://wasabi.uk.com

톱 플로어 레스토랑 The Top Floor restaurant

피터 존스 백화점 6층에 있어 첼시 전망을 즐기며 식사하기 좋은 곳이다. 아침이면 스콘 또는 애플파이에 커피 한 잔 또는 첼시 블랙 퍼스트, 점심이라면 셰프 구르메 파스, 립아이 스테이크, 부르게스타 등이 적당하다. 헤비한 레스토랑이 아니어서 양으로 승부할 사람은 다른 레스토랑을 찾아도 좋다.

교통 : 슬론 스퀘어(Sloane Square) 역에서 피터 존스 방향. 도보 2분

주소 : Sloane Square, Chelsea, London SW1W 8EL

전화 : 020-7730-3434

시간 : 월~토 09:30~19:00, 일
11:30~17:00
메뉴 : 첼시 블랙 퍼스트 £6.45, 셰프
구르메 파스타 £9.5, 립아이 스테이크
£13.5, 부르게스타 £4.95, 핫 솔트 비
프 £7.5 내외
홈페이지 :
www.johnlewis.com/our-services/
peter-jones

톰보 Tombo

깔끔한 카페 분위기의 일식 레스토랑이
다. 식사로 덮밥인 돈부리, 카레 덮밥
인 치킨 라이스, 간단 정식인 벤또 등
이 먹을 만하고 면류는 전문점이 아니
어서 그저 그렇다는 평! 식사했다면 녹
차를 이용한 녹차 라테, 아이스크림,
타르트를 맛보아도 즐겁다.
교통 : 사우스 켄싱턴(South Kensin-
gton) 역에서 도보 2분
주소 : 29 Thurloe Pl, Kensington,
London SW7 2HQ

전화 : 020-7589-0018
시간 : 11:30~21:30
메뉴 : 데리야키 치킨 £11.25, 치킨
규동 £14.95, 치킨 카추 커리
£13.20, 도큐 클래식(돈부리) £11.75,
탄탄 치킨 우동 £11.75, 스파이시 튜
나 마키 롤 £6.90 내외
홈페이지 : http://tombocafe.com

팜걸 Farm Girl

노팅힐에 있는 캐주얼 카페로 소호, 첼
시에도 분점이 있다. 내부는 동네 간이
식당이나 선술집 분위기여서 편안함을
자아낸다. 브런치로 먹기 좋은 토스트,
베리 팬케이크, 팜 오믈렛 등이 군침을
돌게 하고 먹고 싶은 토핑을 추가해도
된다. 브런치가 아니라면 커피나 차를
한잔해도 좋은데 소음을 반사하는 타일
(?) 벽 때문에 약간 소란스러울 수 있
다.
교통 : 노팅힐 게이트(Notting Hill
Gate) 역에서 도보 7분

주소 : 59A Portobello Rd, London W11 3DB
전화 : 020-7229-4678
시간 : 월~금 08:30~16:30, 토~일 09:00~18:00

메뉴 : 샌드위치 £10~12, 샐러드 £12~15, 아보카도 토스트 £9.5, 스크램블 애그 £8.5, 팜 블랙 퍼스트 플레이트 £14 내외
홈페이지 : www.thefarmgirl.co.uk

*쇼핑

해러즈 Harrods

련되어있다.

브롬프턴 거리의 영국 최대, 최고급 백화점이다. 1849년 홍차 상인이었던 찰스 헨리 해러즈가 식품점을 설립한 것이 시초이다. 1883년 12월 초 기한 내 크리스마스 선물 배송하여 큰 인상을 남겼고 오스카 와일드, 찰리 채플린, 로렌스 올리비에, 영국 왕실이 주요 고객이 되었다. 1898년 영국 최초로 에스컬레이터를 도입하기도 했다. 1959년 프레이저 하우스에게 넘겨졌고 1985년 이집트 사업가 모하메드 알 파예드를 거쳐 2010년 카타르 투자청에 다시 인수되어 오늘에 이른다.
알 파예드 가문의 영향으로 일부 스핑크스, 돌기둥 같은 이집트풍으로 장식되어 있고 파리에서 교통사고로 사망한 다이애나와 모하메드 알 파예드의 아들 도디 알 파예드를 추모하는 공간도 마

매장은 층별로 지하(LG)층 남성 잡화, 지상층 화장품, 주얼리, 1층 명품, 디자이너숍, 2층 가정용품, 카페, 3층 가구, 장난감, 4층 패션, 디자이너숍, 5층 신발, 6층 향수 등으로 운영된다. 해러즈가 식품에 출발해 지상층의 치즈, 베이커리, 고기, 생선, 초콜릿, 홍차 등이 있는 식품관이 돋보인다. 이중 해러즈 브랜드의 홍차는 최고급 홍차로 여겨지는데 다르질링, 실론, 케냐 홍차를 블렌딩한 해러즈 NO.14, 창립 150주년 기념의 해러즈 NO.49가 인기! 갖가지 초콜릿, 머랭, 마카롱, 쿠키, 젤리 등도 선물용으로 좋다. 단지 비쌀 뿐! 백화점 내부 매우 혼잡하니 소지품 보관 유의!

교통 : 나이츠 브리지(Knights bridge) 역에서 도보 4분

주소 : 87-135 Brompton Rd, Knightsbridge, London SW1X 7XL

전화 : 020-7730-1234

시간 : 10:00~21:00, 일 11:30~18:00

홈페이지 : www.harrods.com

슬론 스트리트 쇼핑가 Sloane Street Shopping

업퍼 슬론 스트리트(Upper Sloane Street)의 명품 쇼핑가로 영국 귀족, 부유층이 자주 출몰해 쇼핑을 즐기는 것으로 알려져 있다. 영국 젊은이 중에는 이들 중상층과 상류층 특유의 럭셔리 라이프스타일을 추구해 '슬로니(Sloanie)' 또는 '슬론 레인저(Sloane Ranger)'라 불리기도 한다. 다이애나비도 슬로니였다는 이야기가 있다. 거리 북쪽으로부터 살바토레 페라가모, 돌체&가바나, 톰 포드, 미소니, 루이뷔통, 구찌, 베르사체, 불가리, 샤넬, 프라다 등 명품숍이 즐비하니 윈도우 쇼핑을 즐겨도 좋다.

교통 : 나이츠 브리지(Knights bridge)역에서 바로

주소 : Sloane St, Belgravia, London SW1X 9QX

피터 존스 Peter Jones

1877년 설립된 백화점으로 현재 존 루이스 백화점 산하에 있다. 지금의 건물은 1932~36년 세워졌는데 영국 최초의 유리 외벽이 있는 근대 건축물이

다. 지하 1층, 지상 6층 건물 규모이고 층별로 지하층 전자제품, 부엌용품, 지상층 가정용품, 목욕용품, 1층 남성복, 여성 액세서리, 2층 여성복, 란제리, 3층 아동복, 4층 인테리어, 스포츠&여행용품, 5~6층 가구, 레스토랑으로 운영된다. 사치 미술관, 첼시 지역 방문 시 들리면 좋고 굳이 쇼핑만을 위해 방문할 필요는 없다.

교통 : 슬론 스퀘어(Sloane Square) 역에서 도보 2분
주소 : Sloane Square, Chelsea, London SW1W 8EL
전화 : 020-7730-3434
시간 : 09:30~19:00(수 ~20:00), 일 12:00~18:00
홈페이지 : www.johnlewis.com

하비 니콜즈 Harvey Nichols

나이츠브리지 역 인근에 있는 고급 백화점으로 상류층과 패셔니스타가 즐겨 찾는 곳으로 알려진 곳이다. 명품과 유명 브랜드는 물론 디자이너숍까지 있어 패션마니아의 관심을 끈다. 매장은 층별로 지하(LG) 1~2층 남성 패션, 지상(GF)층 뷰티&액세서리, 1~3층 여성 패션(디자이너숍), 2층 아동 패션, 4층 뷰티 서비스(스파, 헤어), 5층 푸드 마켓&식당가로 운영된다. 푸드 마켓에서 세계 각국의 와인을 살 수 있고 카페나 레스토랑에서 차를 마시거나 식사를 해도 즐겁다.

교통 : 나이츠브리지(Knightsbridge) 역에서 바로
주소 : 109-125 Knightsbridge, Belgravia, London SW1X 7RJ
전화 : 020-7235-5000
시간 : 월~토 10:00~20:00, 일 11:30~18:00
홈페이지 : www.harveynichols.com

06 메릴본~리젠트 파크 Marylebone~Regent's park

이 지역은 시티오브웨스트민스터 지역에 속하는 곳으로 여기서는 옥스퍼드 거리에서 리젠트 파크까지의 지역을 다룬다. 베이커 스트리트 역 인근의 메릴본 하이 스트리트는 옥스퍼드 거리와 달리 번잡하지 않고 디자인숍인 콘란숍, 블렌디드 홍차 명가 쿠스미 티 같은 상점과 치즈 전문의 라 프로마쥬리 같은 레스토랑이 있어 소소한 재미를 느끼게 한다.

메릴본 하이 스트리트 위쪽으로는 언제나 줄을 길게 늘어선 마담 투소 박물관, 셜록 팬이라면 꼭 들려야 하는 셜록 홈즈 박물관이 있고 박물관 구경 후에는 리젠트 파크에서 피크닉을 즐기거나 런던 동물원에서 기린, 코끼리에게 당근을 던져주어도 즐겁다.

런던 동물원 관람 후 프림로즈 힐에서 런던 시내를 조망하거나 캠덴 마켓에서 빈티지, 잡화 쇼핑을 해보자.

▲ 교통

① 월리스 컬렉션_지하철 본드 스트리트(Bond Street) 역
② 마담 투소 박물관, 셜록 홈즈 박물관, 리젠트 파크_베이커 스트리트(Baker Street) 역
③ 런던 동물원_베이커 스트리트 역 또는 캄덴 타운에서 274번 버스

▲ 여행 포인트

① 마담 투소 박물관, 셜록 홈즈 박물관에서 기념촬영 하기
② 런던 동물원에서 코끼리, 기린에게 먹이 주기
③ 리틀 베니스에서 보트타고 캄덴 타운까지 유람하기
④ 아비로드 스튜디오에서 비틀즈 흔적 찾아보기
⑤ 셀프리지 백화점과 본드 스트리트 명품숍에서 쇼핑하기

▲ 추천 코스

아비로드 스튜디오→월리스 컬렉션→마담 투소 박물관→셜록 홈즈 박물관→리젠트 파크→런던 동물원

바빌론 파크 캄덴(테마파크)

캄덴 마켓 S

M 캄덴 로드 역

M

리틀 베니스 운하
(선착장)

M 캄덴 타운 역

운하

프림로즈 힐

유대인 박물관

리틀 베니스 운하
(선착장)

S 파운드 랜드

런던 동물원

M

아비로드 스튜디오

모닝턴 크레센트 역

리젠트 파크

로드스 크라켓
그라운드

보팅 호수

퀸 애리 로즈 가든

유스턴 역 M

운하

유스턴 스퀘어 역
M

처치 스트리트 마켓
S

셜록 홈즈 박물관

워런 스트리트 역
M

런던 메릴본 역 T

마담 투소 박물관

M

그레이트 포틀랜드
스트리트 역

베이커 스트리트 역 M

리틀 베니스 운하
(선착장)

굳지 스트리트 역 M

M 에지웨어 로드 역

운하

카툰 박물관

월리스 컬렉션

T 패딩턴 역

옥스퍼드 서커스 역
M

마블 아치 역
M

본드 스트리트 역 M

카나비 스트리트

월리스 컬렉션 The Wallace Collection 18세기 대저택에 회화, 공예품, 가구 등 리처드 월리스(Richard Wallace)의 소장품을 전시하는 미술관이다. 전시 품목은 프랑스 화가 쟝 오레 프라고나르(Jean-Honoré Fragonard)의 그네 (The Swing) 같은 회화, 18세기 프랑스와 이탈리아 르네상스 때의 도자기,

중세 무기와 갑옷, 중세 공예품, 프랑스 중세 가구, 이탈리아 조각가 크레마

(Giovanni Fonduli da Crema)의 앉아 있는 님프(Seated Nymph) 같은 조각 등이 있다.

교통 : 본드 스트리트(Bond Street) 역에서 북쪽 맨체스터 스퀘어 지나. 도보 7분
주소 : Hertford House, Manchester Square, London W1U 3BN
전화 : 020-7563-9500
시간 : 10:00~17:00, 휴무 : 12월 24~26일, 요금 : 상설전시 무료
홈페이지 : www.wallacecollection.org

마담 투소 박물관 Madame Tussauds London

1835년 마담 투소가 런던에 정착하며 문을 연 밀랍인형 박물관이다. 초기에는 마담 타소가 경험한 프랑스 혁명의 참상을 묘사한 공포의 방으로 관심을 끌었고 이후 유명 정치가, 연예인, 운동선수 등 유명인과 영화 위주로 밀랍 인형을 꾸몄다. 이곳에서 파티, 필름, 스포츠, 로열, 뮤직, 월드 리더 등의 주제에 따라 베네딕트 컴퍼비치, 베컴 부부, 터미네이터, 오드리 햅번, 트럼프, 만델라 등의 밀랍 인형을 만날 수 있어 즐겁다. 단, 박물관을 찾는 사람이 매우 많으므로 예약 필수!

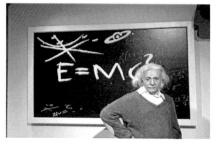

교통 : 베이커 스트리트(Baker Street) 역에서 동쪽, 박물관 방향. 도보 3분
주소 : Marylebone Rd, Marylebone, London NW1 5LR
시간 : 09:00~18:00(일 ~17:00) ※ **홈페이지 예약 필수**
요금 : 스탠더드 온라인/현장 £33/£42, 패스트 트랙_온라인/현장 £48/£57
홈페이지 :
www.madametussauds.com/london

☆여행 이야기_마담 투소

1761년 프랑스 스트라스부르그에서 출생한 마담 투소는 필리페 커티우스 박사 밑에서 왁스 모델링을 하던 어머니로부터 기술을 배웠다. 1777년 최초로 유명 작가이자 철학자 볼테르를 밀랍인형으로 만들었고 이후 베르사유 궁전에서 루이 16세의 자매들의 미술 교사를 하고 프랑스 혁명에 휘말리기도 했다. 1794년 필리페 커티우스 박사의 밀랍 전시회를 상속받았고 1795년 프랑수아 타소와 결혼하며 마담 타소로 불리게 되었다. 1802년 밀랍 인형 전시회 초청을 받아 런던으로 갔는데 다음 해 벌어진 나폴레옹 전쟁(영국 연합군과 나폴레옹 간의 전쟁)으로 인해 귀국하지 못했다. 영국과 아일랜드를 돌며 전시회를 하다가 1831년 런던에 베이커 거리 인근에 정착하고 1835년 박물관을 열었다. 초기의 전시는 프랑스 혁명에서 경험한 공포의 현장을 재현한 것이었다. 1850년 마담 투소가 사망한 후 그의 손자가 가업을 이어받았고 암스테르담, 라스베가스, 홍콩, 뉴욕, 상하이 등에 20여 개의 분점을 열어 오늘에 이른다.

셜록 홈즈 박물관 The Sherlock Holmes Museum

1990년 개관한 셜록 홈즈 테마 박물관이다. 셜록 홈즈는 아서 코난 도일의 추리 소설 〈셜록 홈즈의 모험〉에 등장하는 탐정 이름으로 그는 동료 왓슨 박사와 함께 기묘한 범죄를 해결한다. 박물관 1층은 셜록 홈즈 관련 기념품 숍, 2층은 소설 속에 묘사된 홈즈와 왓슨의 서재로 망원경, 돋보기 같은 수사 용품(?)으로 꾸며져 눈길을 끈다. 소설과 같은 박물관 주소 베이커 거리 221b는 원래 없는 것인데 훗날 실제 만들어졌다고. 아울러 베이커 스트리트

역 인근 메릴본 거리에 셜록 홈즈의

조각상이 세워져 있으니 놓치지 말자. ※박물관 옆 런던 비틀즈 스토어에서는 비틀즈 관련 기념품을 만날 수 있음.

교통 : 베이커 스트리트 역에서 북쪽, 박물관 방향. 도보 3분

주소 : 221b Baker St, Marylebone, London NW1 6XE

전화 : 020-7224-3688

시간 : 09:30~18:00, 휴무 : 12월 25일

요금 : 성인 £16, 어린이(16세 이하) £11

홈페이지 :

www.sherlock-holmes.co.uk

리젠트 파크 The Regent's Park

1820년 설립된 왕립 공원 중 하나로

런던 시내 북쪽에 위치한다. 원래 왕실 사냥터, 농작물을 생산하던 밭으로 이용되던 곳으로 공원 면적은 리젠트 파크와 프로미스 힐을 합쳐, 3.95㎢에 달한다. 공원 이름은 플레이보이 왕자라 불렸고 훗날 조지 4세가 되는 리젠트 왕자의 이름에서 연유한 것이다. 공원 내에는 1만2천 그루 이상의 장미가 있는 퀸메리 로즈 가든, 5~9월 야외 공연이 열리는 오픈 에어 극장, 보팅 호수, 런던 동물원 등이 있다. 공원 서북쪽으로 흐르는 베니스 운하는 워릭 에이브에서 런던 동물원을 거쳐 캄덴 타운까지 연결해 준다. 날 좋은 날 넓은 잔디밭을 산책하기 좋으나 늦은 시간에는 홀로 돌아다니지 않는다.

교통 : 베이커 스트리트, 리젠트 파크 (Regent's Park) 역에서 공원 방향. 도보 3분

주소 : Chester Rd, London NW1 4NR

전화 : 0300-061-2300

시간 : 05:00~20:00

홈페이지 :

www.royalparks.org.uk/parks/the-regents-park

런던 동물원 ZSL London Zoo

1828년 설립된 동물원으로 근대적 동

물원의 시초가 되는 곳이다. 리젠트 파크 북쪽, 14.5ha의 넓은 면적에 포유류 180종 982마리, 조류 419종 1,139마리, 파충류 152종 363마리 등 총 1141종 8,746마리의 동물을 보유하고 있다. 동물원은 아웃터 서클 도로를 중심으로 남쪽에 아쿠아리움, 캥거루, 호랑이, 고릴라, 사자, 원숭이, 펭귄, 북쪽에 기린, 얼룩말, 코뿔소, 미어캣 등이 자리한다.

으로 나뉘나, 여행객은 따지지 말고 방문 당시의 요금을 내면 됨.

교통 : 베이커 거리 또는 캄덴 타운에서 274번 버스, 동물원 하차. 베이커 스트리트 역, 리젠트 파크 역/캄덴 타운에서 도보 20/15분

주소 : Outer Cir, London NW1 4RY

전화 : 020-7449-6200

시간 : 3~9월 10:00~18:00, 11~2월 10:00~16:00

요금 : 주중/주말 £31/33

홈페이지 :
www.zsl.org/zsl-london-zoo

리틀 베니스 Little Venice

홈페이지 〈데일리 이벤트〉의 동물 먹이주기 시간에 맞춰, 사육장을 방문하면 더욱 생동감 넘치는 동물을 관찰할 수 있으니 참고! ※요금은 스텐더드(월~금), 피크(한여름 같은 특정 기간), 오프 피크(한여름 외 같은 특정 기간) 등

그랜드 유니온 운하와 리젠트 운하 교

차점 일대를 리틀 베니스라 부른다. 이 곳에서 운하를 따라 집으로 사용되는 하우스 보트가 정박하여 있는 것을 볼 수 있다. 리틀 베니스에서 런던 동물원을 거쳐 캄덴 로크까지 가는 보트를 타면 운하를 따라 세워진 런던 주택가 풍경을 감상하기 좋다. 리틀 베니스에서 런던 동물원까지는 35분, 캄덴 로크까지는 50~60분 소요된다. 티켓은 예약 없이 보트에 승선하여 신용카드 또는 직불카드로만 살 수 있는데 오전 11시~오후 1시까지는 사람들로 붐비니 일찍 와서 줄을 서자.

교통 : 워릭 에비뉴(Warwick Avenue) 역에서 리틀 베니스 방향. 도보 6분
주소 : 6 Park Place Villas, London W9 2PF
전화 : 런던 워터버스_020-7482-2550, 시간 : 4~9월
요금 : 성인 £15, 경로/어린이 £11
※현금 불가, 신용카드 또는 직불카드 사용
홈페이지 : www.londonwaterbus.com

요일	노선	시간
월~수	리틀 베니스→런던 동물원(35분)/캄덴 로크(50~50분)	11:00, 13:45, 15:00
	캄덴 로크/런던 동물원(15분)→리틀 베니스	10:00, 12:15, 16:15
목~일	리틀 베니스→런던 동물원/캄덴 로크	10:00, 11:00, 12:15, 13:45, 15:00, 16:15
	캄덴 로크/런던 동물원→리틀 베니스	10:00, 11:00, 12:15, 13:45, 15:00, 16:15
월,금~일 /화~목	런던 동물원→리틀 베니스	**10:15**, 11:15, **12:30**, 14:00, **15:15**, 16:30
	런던 동물원→캄덴 로크	10:35, **11:35**, 12:45, **14:20**, 15:35, **16:55**

※진한 글씨_화~목 운행, 현장 상황에 따라 변경될 수 있음

아비로드 스튜디오 Abbey Road Studios

1931년 설립된 레코딩 스튜디오로 3개의 스튜디오와 기타 스튜디오를 운영하고 있다. 이중 오케스트라가 들어갈 수 있는 대형 녹음실인 스튜디오 1에서 클래식은 물론 영화 〈스타워즈〉, 〈셰이프 오브 워터〉, 〈킹스맨2〉 같은 영화 음악이 레코딩 됐고 중형 녹음실인 스튜디오 2에서 비틀즈, 클리프 리

대부분 작업을 했다. 비틀즈 앨범 중 11번째 〈아비로드〉는 비틀즈 멤버들이 아비로드 스튜디오 앞 횡단보도를 건너는 표지로도 유명하다. 이 때문에 횡단보도에서 이를 따라 하는 여행자가 많은데 교통사고 나지 않도록 주의! 스튜디오 벽에는 비틀즈를 향한 여행자들의 낙서도 눈길을 끈다. 실제 운영 중인 녹음실은 볼 수 없고 기념품숍만 방문 가능!

처드, 핑크 플로이드, 오아시스, 아델 등 유명 뮤지션의 앨범이 만들어졌다. 비틀즈는 1962년 이곳에서 첫 레코딩을 한 이래 1970년 그룹 해체 때까지

교통 : 세인트 존 우드(St. John's Wood) 역에서 스튜디오 방향. 도보 5분

주소 : 3 Abbey Rd, London NW8 9AY

전화 : 020-7266-7000

시간 : 기념품숍_09:30~19:00(일 10:00~18:00)

홈페이지 : www.abbeyroad.com

☆여행 팁_런던 축구 여행

영국 프로축구는 크게 1부 리그인 프리미어 리그와 2부 리그인 챔피언십 리그로 나눌 수 있다. 이들 리그는 해마다 프리미어 리그에서 낮은 순위의 팀이 챔피언십으로 강등되고 챔피언십 리그에서 높은 순위의 팀이 프리미어 리그로 승급하는 시스템으로 운영된다. 런던을 연고로 하는 축구팀으로는 아스널, 첼시, 토트넘 같은 프리미어 팀과 풀럼, QPR, 웨스트햄, 크리스탈 팰리스, 밀월, 찰튼 애틀래틱 같은 챔피언십 팀이 있다. 이중 항상 프리

미어 리그 상위권에 머무는 아스널, 첼시, 토트넘이 인기이고 토트넘에는 한국의 손흥민 선수가 뛰고 있기도 하다.

축구 경기 티켓 구입은 프리미어티켓 사이트(www.premierticket.kr), 구단 홈페이지 등에서 할 수 있다. 티켓 가격은 경기별로 다르지만 제일 싼 골대 뒷좌석이 20~30만 원 정도. 추천하지 않지만, 당일 구장에서 암표를 살 수 있는데 진짜 티켓인지, 바가지 쓰지 않는지 등 확인! 티켓을 샀다면 런던 시내에서 조금 떨어진 구장까지 가는 법을 숙지해둔다. 경기를 관람하지 않고 구장 투어하거나 구장의 기념품점에서 유니폼 쇼핑을 해도 즐겁다.

· 아스널_에미레이트 스타디움
교통 : 아스널(Arsenal) 역, 홀로웨이 로드(Holloway Rd.) 역 하차
주소 : Hornsey Rd, London N7 7AJ
전화 : 020-7619-5003
홈페이지 : www.arsenal.com

· 첼시_스탬퍼드 브리지
교통 : 풀함 브로드웨이(Fulham Broadway) 역 하차
주소 : Fulham Rd, Fulham, London SW6 1HS
홈페이지 : www.chelseafc.com

· 토트넘_화이트 하트 레인
교통 : 화이트 하트 레인(White Hart Lane) 기차역 하차
주소 : 748 High Rd, Tottenham, London N17 0AP
전화 : 0844-499-5000
홈페이지 : www.tottenhamhotspur.com

*레스토랑&카페

패티&번 Patty&Bun

파이브 가이즈, 어니스트 버거와 함께 런던 3대 버거로 꼽히는 곳이다. 살짝 구운 햄버거 빵에 양상추 깔고 두툼한 패티 올리고 소스 듬뿍 뿌리면 수제 버거 완성이다. 한입 베어 물면 빵과 양상추, 패티, 소스가 어우러져 환상적인 맛을 자아낸다. 바삭하게 튀김 칩스에 솔트&비니거(식초)는 기본! 맥주를 부르는 맛이다.

교통 : 본드 스트리트(Bond Street) 역에서 갭 옆길 직진. 도보 3분
주소 : 54 James St., Marylebone,

London W1U 1HE
전화 : 020-7487-3188
시간 : 11:30~22:30
메뉴 : 아리골드 치즈버거 £10.95, 스모키 로빈슨 버거 £11.95, 조세조세 칠리 버거 £11.95, 핫칙 치킨 버거 £10.95, 칩스 £4.5 내외
홈페이지 : www.pattyandbun.co.uk

빌스 베이커 스트리트 Bill's Baker Street

옛날 레스토랑 분위기가 정겹게 느껴지는 캐주얼 레스토랑이다. 주중이라면 2

코스와 3코스의 세트 메뉴가 가성비가 높고 13시 이전이라면 푸짐한 블랙퍼스트 메뉴도 괜찮다. 메인은 스테이크와 버거인데 스테이크 전문점은 아니므로 버거나 나눠 먹는 셰어(Share) 메뉴를 주문하는 것이 나을 수 있다.

교통 : 베이커 스트리트(Baker Street) 역에서 남쪽, 도보 2분

주소 : 119-121 Baker St, Marylebone, London W1U 6RY

전화 : 020-7486-7701

시간 : 08:00~23:00, 일 09:00~22:30 ※세트_월~금 12:00~19:00

메뉴 : 세트_2코스/3코스 £12.95/ 15.95, 설로인 스테이크 £18.95, 빌스 햄버거 £11.5, 블랙 퍼스트 £8.95 내외

홈페이지 : https://bills-website.co.uk

리젠트 바&키친 The Regent's Bar&Kitchen

리젠트 파크의 이너서클 부근에 있는 레스토랑으로 공원 풍경을 바라보며 식사하거나 커피 한잔하기 좋은 곳이다. 메인은 피시&칩스, 소시지&매시, 베간 트로피 파스타 등이고 피자, 샐러드, 스프 등의 메뉴가 눈에 띈다. 공원의 간편 레스토랑임으로 헤비하기보다 라이트한 음식이 대부분이다.

교통 : 베이커 스트리트역에서 리전트 파크 방향. 도보 10분

주소 : The Regent's Park, Inner Cir, London NW1 4NU

전화 : 020-7935-5729

시간 : 08:00~20:00

메뉴 : 피시&칩스 £13.95, 리젠트 비프버거&칩스 £13.75, 헤리티지 토마토&피타 샐러드 £13, 마르게리따 피자 £11.75 내외

홈페이지 : www.royalparks.org.uk/parks/the-regents-park

프로마쥬리 La Fromagerie

치즈와 와인, 과일, 햄, 잼, 빵 등을

판매하는 상점 겸 레스토랑이다. 상호인 프로마쥬리(Fromagerie)가 '치즈 제조소, 치즈 소매점'라는 뜻! 상점 안으로 들어가 와인, 치즈, 햄 등을 둘러보고 자리에 앉아 치즈와 와인을 맛보

자. 치즈&와인 메뉴의 프렌치 보드, 브리티시&아이리시 보드, 이탈리안 보드 등에서 하나를 고르면 나무 도마에 5~6개의 치즈가 나온다.

교통 : 베이커 스트리트 역, 리젠트 파크 역에서 메릴본 하이 스트리트 방향. 도보 8~10분

주소 : 2-6 Moxon St, Marylebone, London W1U 4EW

전화 : 020-7935-0341

시간 : 월~금 08:00~19:30, 토 09:00~19:00, 일 10:00~18:00

메뉴 : 비프 샌드위치 £12, 하케 피시케이크 £11, 프로마쥬리 퐁듀 £18.5, 스모크 살몬 플레이트 £14.5, 팜하우스 스프링 블랙퍼스트 £12, 치즈 보트 £9.25 내외

홈페이지 : www.lafromagerie.co.uk

*쇼핑

콘란숍 The Conran Shop

인테리어숍 하비타트를 설립한 인테리어 디자이너 테런스 콘란 경이 만든 또 하나의 인테리어 편집숍이다. 가구, 조명, 주방용품, 텍스타일 등의 제품은 세련된 디자인으로 유명해, 일반인은

물론 디자이너에게도 인기가 높다. 소품으로 지갑, 헤드폰, 턴테이블, 시계, 디퓨저, 양초 등도 있어 선물용으로 구입해도 괜찮다. 다른 느낌의 디자인 상품을 보고 싶다면 콘란 경의 하비타트 매장(196-199 Tottenham Ct Rd.)을

방문해도 좋다.

교통 : 베이커 스트리트 역, 리젠트 파크 역에서 메릴본 하이 스트리트 방향. 도보 6분

주소 : 55 Marylebone High St, Marylebone, London W1U 5HS

전화 : 020-7723-2223

시간 : 월~토 10:00~19:00, 일 11:30~18:00

홈페이지 : www.conranshop.co.uk

07 블룸스버리~킹스 크로스 Bloomsbury~King's Cross

이 지역은 런던버러오브캄덴(London Borough of Camden) 지역에 속하는 곳으로 남쪽 대영 박물관에서 킹스 크로스 역, 캄덴 타운 거쳐, 북쪽 햄프스테드 히스를 아우른다.

1965년 햄스테드, 홀본, 세인트 판크라스 등의 메트로폴리탄 버러가 합쳐졌고 캄덴 타운의 캄덴이란 이름이 붙었다. 캄덴이란 이름은 캄덴을 주거지로 개발하는데 주도적인 역할을 한 재판관이자 휘그 당원이던 찰스 프랫이 1795년 1대 캄덴 백작에 오르면서부터 알려졌다.

루브르 박물관, 바티칸 박물관과 함께 세계 3대 박물관으로 꼽히는 대영 박물관을 둘러본 뒤, 킹스 크로스 역에서 9 3/4 플랫폼에서 해리포터 코스프레를 해보고 캄덴 마켓을 넘어가 빈티지, 잡화 쇼핑을 즐겨보자. 시간이 되면 캄덴 로크 선착장에서 보트를 타고 리틀 베니스까지 리젠트 운하 유람을 해도 즐겁다.

▲ 교통

① 대영 박물관_지하철 토트넘 코트 로드(Tottenham Court Road), 러셀 스퀘어(Russell Square) 역 등
② 찰스 디킨스 / 파운들링 박물관_러셀 스퀘어(Russell Square) 역
③ 킹스 크로스 역, 대영 도서관_킹스 크로스(King's Cross) 역
④ 프림로즈 힐_베이커 스트리트 역 또는 캄덴 타운에서 274번 버스
⑤ 캄덴 타운, 캄덴 마켓_캄덴 타운 (Camden Town) 역

▲ 여행 포인트

① 인류의 지성이 함축된 대영 박물관에서 하루 보내기
② 찰스 디킨스 박물관에서 작가의 생애와 작품 알아보기
③ 킹스 크로스 역에서 호그와트행 9와 3/4 플랫폼 찾아보기
④ 캄덴 마켓에서 빈티지, 잡화 쇼핑하기
⑤ 프림로즈 힐에서 런던 시내 조망해 보기

▲ 추천 코스

대영 박물관→찰스 디킨스 박물관→파운들링 박물관→킹스크로스 역→대영 도서관→캄덴 마켓→프림로즈 힐

대영 박물관 The British Museum
1759년 설립된 박물관으로 세계 각국의 고고학 수집품이 주를 이룬다. 초기에 왕립 학사원장이자 의학자인 한스 슬론 경이 수집한 6만 점의 고미술, 자연과학 표본과 로버트 코튼 경의 장서, 옥스퍼드의 백작 로버트 할리의 수집품 등을 몬터규 백작 저택에서 전시했다. 이후 소장품을 늘어나자 1824년 장서를 보관할 도서관, 이집트 유물관

을 세웠고 1852년 현관 건물이라 할 수 있는 신고전 양식의 건물이 건축됐다. 이후 자연사 소장품은 사우스 켄싱턴의 자연사 박물관, 장서는 대영 도서관, 민속학 소장품은 인류 박물관으로 이관되어 고고학 위주의 전시가 이루어진다. 그런데도 총 수집품은 700만 점 이상!
박물관은 지하층, 지상층, 1~5층으로 되어있는데 대부분의 전시는 지상층과

3층에서 이루어진다. 입구 안쪽으로 들

어가면 2000년 건축가 노먼 포스터가 설계한 그레이트 코트의 유리 천장과 거대한 원형 건물인 리딩룸이 반겨준다. 원래 대영 도서관이었던 리딩룸에는 아직도 장서 3,400권이 보관되어 있는데 따로 허가를 받아야 입장할 수 있다. 그레이트 코트 왼쪽부터 전시를 보며 2층을 거쳐 3층으로 올라가면 되는데 전시품이 매우 많고 관람 코스가 4km 이상이어서 미리 홈페이지 플로어 플랜의 지도를 내려받아 원하는 것만 보는 것이 효율적이다. 한국어 오디오 가이드를 이용하면 상세한 설명을 들을 수 있고 박물관 내에 사람들로 북적이니 소지품 보관에 유의한다.

주요 유물로는 로제타스톤(4번), 앗시리아 사자 사냥 부조(10번), 파르테논 신전 조각(18번방), 이스터섬의 모아이 상(24번), 우르 유물(56번), 이집트 유물(61~66번), 한국관(67번) 등이 있다. ※()의 번호는 전시장 번호!

교통 : 토트넘 코트 로드(Tottenham Court Road), 러셀 스퀘어(Russell Square) 역 등에서 박물관 방향. 도보 10분

주소 : Great Russell St, Bloomsbury, London WC1B 3DG

전화 : 020-7323-8299

시간 : 10:00~17:30(금요일 ~20:30),

휴무 : 1월 1일, 12월 24~26일

요금 : 무료

홈페이지 : www.britishmuseum.org

찰스 디킨스 박물관 Charles Dickens Museum

작가 찰스 디킨스가 1837~1839년 살았던 저택이자 박물관이다. 디킨스는 이곳에서 그의 주요 작품인 피크위크

페이퍼스(The Pickwick Papers), 올리버 트위스트(Oliver Twist)의 대부분, 니콜라스 니클비(Nicholas Nickleby) 등을 집필했다. 디킨스는 3년 계약이 끝난 뒤 이사를 하였고 건물은 1923년 디킨스 펠로우십에 인수되었다. 1925년 박물관으로 문을 열었고 내부에 그의 자필 원고, 희귀본, 책과 삽화, 그림, 가구, 생활용품 등을 전시.

교통 : 러셀 스퀘어(Russell Square) 역에서 동쪽, 박물관 방향. 도보 8분
주소 : 48 Doughty St, London WC1N 2LX
전화 : 020-7405-2127
시간 : 수~일 10:00~17:00(최종 입장 16:00), 휴무 : 월~화요일
요금 : 성인 £12.5, 어린이 £7.5
홈페이지 : https://dickensmuseum.com

파운들링 박물관 The Foundling Museum

1739년 외항 선장 토마스 코람이 세운 영국 최초의 어린이 자선 단체이자 최초의 아트 갤러리인 파운들링 호스피탈을 소개하는 박물관이다. 호스피탈은 병원이란 뜻이 아닌 구호소 정도! 당시 산업혁명으로 인해 인구가 늘었으나 생활이 어려워 버려지고 병사하는 아이도 많았다. 이를 안타깝게 여긴 코람이 어린이를 위한 자선 단체를 만들었다.

박물관 1층의 다양한 토큰은 일종의 이름표로 부모들이 아이를 맡길 때 아이의 본명이나 생년월일을 적은 것이다. 부모는 형편이 나아지면 아이를 되찾을 생각으로 토큰을 준비했으나 아이를 찾아가는 사람은 많지 않았다고. 2층의 코트 룸은 운영 회의를 하던 방으로 열렬한 후원자였던 윌리엄 호가스를 비롯해 토마스 게인즈버러, 조슈아 레이놀즈 등이 기증한 작품이 걸려있는데 이를 바탕으로 영국 최초의 공공 미술관을 열 수 있었다. 픽처 갤러리에는 역대 운영위원들의 초상이 걸려있는데 이 중에는 음악가 헨델도 있다. 헨델은 이곳을 위해 매년 메시아 음악회를 개최하고 오르간도 기증했다. 3층에서 헨델의 메시아 악보, 음악회 포스터와 티켓 등을 볼 수 있다.

파운들링 호스피탈은 2만5천여 명의 어린이를 구호하고 1951년 해산되었

다. 현재는 코람이라는 어린이 구호단체로 재탄생되어 운영된다. 1830년대 근처에 살았던 디킨스는 이곳에 영감을 받아 〈리틀 도릿〉, 〈노 서로우페어〉 등의 작품에 영감을 받은 것으로 전해지고 〈올리버 트위스트〉에서도 당시의 열악한 사회상이 잘 묘사되어 있다.

교통 : 러셀 스퀘어 역에서 브런즈윅 스퀘어 가든스 지나. 도보 5분

주소 : 40 Brunswick Square, Bloomsbury, London WC1N 1AZ

전화 : 020-7841-3600

시간 : 10:00~17:00(일 11:00~17:00),

휴무 : 월요일

요금 : £12.75 ※21세 이하 무료

홈페이지 :
https://foundlingmuseum.org.uk

킹스 크로스 역 King's Cross Station
1852년 문을 연 기차역으로 주로 영국 북부를 향하는 기차 노선이 운행된다. 킹스 크로스 역 지하에는 6개 노선이 통과하는 지하철역, 킹스 크로스 역 옆에 국제기차 유로스타로 파리와 런던을 잇는 세인트 판크라스 역이 있어 런던에서 가장 붐비는 기차역이기도 하다.

소설 〈해리포터〉에서 호그와트 급행열차가 9와 3/4 플랫폼에서 출발하지만, 실제 9와 3/4 플랫폼은 없고 한쪽에 기념 촬영할 수 있게 꾸며놓았다. 인근에 해리포터 상점이 있어 〈해리포터〉 기념품을 사도 괜찮다. 역사 내에서 함부로 사진 촬영하면 CCTV에 걸려 바로 경찰이 다가오므로 당황하지 말 것! 기차역과 지하철역에 사람들이 매우 많으므로 소지품 분실에 주의하자.

교통 : 지하철 킹스 크로스&세인트 판크라스 역에서 바로

주소 : Euston Road, London, Greater London N1 9AL

전화 : 0345-748-4950

대영 도서관 The British Library

대영 박물관 도서관에서 출발한 도서관으로 1973년 대영 도서관으로 개명, 독립하였다. 1998년 킹스 크로스 역 인근에 새 건물을 짓고 이전하였으나 여전히 일부 고서는 대영 박물관 그레이트 코트의 리딩룸에 보관 중이다. 1911년 영국에서 유통되는 모든 인쇄물을 납본(보관) 받아 세계에서 가장 큰 도서관으로의 명성을 얻었다. 현재 소장품은 1억 5천만 점, 단행본은 1천4백만 권 이상이다.

대영 도서관이 이전하였지만, 여전히 대영 박물관의 원형 리딩룸을 이용한 유명인을 이야기하지 않을 수 없다. 작가 찰스 디킨스와 토마스 하디, 버지니아 울프, 오스카 와일드, 버나드 쇼, 웰스, 코넌 도일, 역사가 토마스 칼라일, 사상가 간디, 레닌, 마르크스 등 당대의 쟁쟁한 사람들이 대영 도서관을 찾았다. 이중 마르크스는 40여 년 동안 매일 출근하다시피 했다고. 주요 소장품으로는 앵글로-색슨의 서사시 〈베오울프〉 유일본, 알프레드 대왕 때의 〈앵글로-색슨 연대기〉, 근대 민주주의의 성서라 할 수 있는 〈마그나 카르타〉 등이 있다.

이전한 대영 도서관은 열람실과 전시장, 카페 등으로 되어있는데 여행자는 방문객으로 입장해 로비, 카페 등을 둘러볼 수 있다. 열람실 이용은 리더 패스가 있어야 하는데 외국인이라면 영국 내 유학생, 상사 주재원 등 신분 증명이 가능한 사람에 한한다. 때때로 해리포터, 마그나 카르타 등 관심 끄는 전시회가 열려 들릴만하고 더 살펴보고 싶은 사람은 도서관 투어(£10 내외)를 신청해 보자.

교통 : 킹스 크로스(King's Cross) 역에서 서쪽, 도서관 방향. 도보 6분
주소 : 96 Euston Rd, London NW1 2DB
전화 : 0330-333-1144
시간 : 월~목 09:30~20:00, 금/토 ~18:00/~17:00, 일 11:00~17:00
요금 : 무료, 홈페이지 : www.bl.uk

프림로즈 힐 Primrose Hill

리젠트 파크 북쪽, 해발 약 63m의 언덕으로 북쪽의 벨사이즈 파크, 햄스테드 히스 등 런던 북부를 조망하기 좋고 남쪽의 런던 시내의 고층 빌딩도

언덕에서 조망을 즐긴 뒤, 카페나 펍에서 커피나 맥주 한잔을 해도 즐겁다.

교통 : 베이커 거리 또는 캄덴 타운에서 274번 버스, 동물원 하차/런던 동물원에서 도보 13분

주소 : Primrose Hill Rd, Primrose Hill, London NW1 4NR

전화 : 0300-061-2000

홈페이지 : www.royalparks.org.uk/parks/the-regents-park

아련히 보인다. 프림로즈 힐 아래 주택가에는 사회주의자이자 철학자인 엥겔스(122 Regent's Park Rd), 시인 예이츠 등이 살기도 했다. 햇볕 따뜻한 날, 언덕을 찾는 사람이 많아 북적이고

☆여행 팁_블루 플라크 Blue Plaque

1866년부터 시작된 블루 플라크는 일종의 인물 관련 문화유산이라 할 수 있다. 인물에는 시대에 영향을 미친 작가, 철학자, 가수, 배우 등을 망라한다. 런던에는 엥겔스, 지미 헨드릭스, 오스카 와일드, 존 레논, 멜빌 등 900곳 이상의 블루 플라크가 설치되어 있다. 이들 블루 플라크는 인물이 그곳에 살았던 시기를 알려준다. 블루 플라크 위치는 홈페이지에서 검색하거나 블루 플라스 앱(Blue Plaque App)을 통해 파악 가능하다. 런던에서 블루 플라크만 따라다녀도 런던 인물 여행이 되는 셈이니 원하는 인물이 있다면 검색해보자.

홈페이지 : www.english-heritage.org.uk/visit/blue-plaques

햄스테드 히스 Hampstead Heath

런던 북서부에 있는 공원으로 320헥타르(ha)의 방대한 면적을 자랑한다. 공원에는 수영할 수 있는 3개의 연못, 런던 시내를 조망할 수 있는 팔러먼트 힐(Parliament Hill), 넓은 잔디밭과 숲, 17세기 초 조지안 양식으로 세워진 켄우드 하우스 등이 있어 하루를

보내기 좋다. 켄우드 하우스는 미술관으로 운영되는데 렘브란트, 베르메르, 터너, 반다이크, 레이놀즈 등의 작품을 볼 수 있다. 이곳 정원은 영화 〈노팅힐〉에서 안나가 영화를 찍는 장면이 촬영된 곳이기도 하다. 공원은 평일에도 운동하고 산책하는 사람이 있으나 공원이 넓고 숲길이 좀 무서울 수 있으므로 가급적 사람이 많은 주말에 방문하는 것이 좋고 늦은 시간까지 남아 있지 않도록 한다.

시간이 되면 햄스테드 히스 인근의 17세기 세워진 고택인 **펜톤 하우스**(수~일 11:00~17:00, £8 내외), 낭만 시인 존 키츠의 **키츠 하우스**(수~일 11:00~17:00, £6 내외)에 방문해보자.

교통 : 지하철 벨사이즈 파크(Belsize Park) 역에서 도보 11분/지하철·오버그라운드 웨스트 햄스테드(Weat Hampstead) 역에서 오버그라운드, 햄스테드 히스 역 하차/코벤트 가든 인든 알드위치 킹스웨이(Aldwych Kingsway) F 버스 정류장에서 168번 버스, 사우스엔드 그린(South End Green) 하차/레스터 스퀘어 인근 케임브리지 서커스(Cambridge Circus) M 버스 정류장에서 24번 버스, 로열 프리 하스피탈(Royal Free Hospital) 하차

주소 : Hampstead, London NW5 1QR
전화 : 020-7332-3322
시간 : 켄우드 하우스_10:00~17:00,
휴무 : 12월 24~26일, 연말연시
요금 : 켄우드 하우스_무료
홈페이지 : www.cityoflondon.gov.uk

*레스토랑&카페

나루 Naru
정갈하고 맛있는 한식을 내는 레스토랑이다. 여느 한식당처럼 메뉴는 떡볶이 같은 분식에서 불고기 같은 구이, 김치찌개 같은 찌개, 짬뽕 같은 면까지 한

식 종합선물세트라 할 수 있다. 어느 메뉴를 시켜도 맛이 있고 찌개에 소주 한잔하기도 괜찮다. 단, 돌

솥비빔밥 같은 밥 메뉴가 아니면 밥은 따로 주문해야 하고 기본 반찬 외 추가는 유료이므로 참고! 물 역시 유료!

교통 : 토트넘 코트 로드(Tottenham Court Rd.) 역에서 동쪽, 도보 4분

주소 : 230 Shaftesbury Ave, London WC2H 8EG

전화 : 020-7379-7962

시간 : 12:00~15:00, 17:30~22:00, 휴무 : 일요일

메뉴 : 제육 불고기 £8.9, 불고기 £9.8, 김치찌개 £8.7, 밥 £2.2 내외

차오 벨라 Ciao Bella

러셀 스퀘어 역에서 찰스 디킨스 생가 가는 길에 있는 이탈리안 레스토랑이다. 관광지에서 떨어져 동네 레스토랑이라고 봐도 좋은 곳! 스타터로 갈릭 브레드인 피자 올아그리오를 시키면 토핑 없는 피자 빵이 나오므로 따로 피자를 주문할 필요가 없다. 파스타나 스테이크, 로스트 치킨, 생선 중에서 하나 시키면 적당! 항상 사람 많으니 식사 시간 전에 갈 것, 저녁 예약 필수!

교통 : 러셀 스퀘어(Russell Square) 역에서 동쪽, 도보 6분

주소 : 86-90 Lamb's Conduit St, Bloomsbury, London WC1N 3LZ

전화 : 020-7242-4119

시간 : 12:00~23:30, 일 12:00~22:30

메뉴 : 브루스케타 £6, 인살라타 트리콜로네(샐러드) £9, 마르게리따 피자 £11, 봉골레 파스타 £15, 스파게티 알라 카르보나라 £12 내외

홈페이지 : http://ciaobellarestaurant.co.uk

오네일스 킹스크로스 O'Neill's Kings Cross

영국 프리미어 축구 구경하며 맥주 한 잔하기 좋은 곳이지만 아침이나 점심을 먹어도 괜찮다. 바삭하게 튀겨 나오는 피시&칩스는 누구나 맛볼 수 있는 대표 메뉴이다. 아예 저렴하거나 조금 비

싼 메뉴를 주문하자. 가성비만 생각하면 블랙 퍼스트 메뉴나 런치 메뉴가 적당!

교통 : 킹스 크로스 세인트 판크라스 (King's Cross St. Pancras) 역 나와 우회전. 도보 4분

주소 : 73-77 Euston Rd, Marylebone, London NW1 2QS

전화 : 020-7380-0464

시간 : 월~목 08:00~24:00, 금~토 ~01:00, 일 09:00~24:00

메뉴 : 치즈&베이컨 버거 £10.75, 마르게리따 피자 £10.25, 클래식 믹스 그릴 £13.75, 스테이크&기네스 파이 £12.25 내외

홈페이지 : www.oneills.co.uk

페산티시모 Pesantissimo

프림로즈 힐 아래 동네에 있는 이탈리안 레스토랑이다. 하우스 와인으로 입맛을 돋우고 가성비를 생각하면 피자 또는 파스타+샐러드+음료가 나오는 밀딜(Meal Deal) 메뉴를 선택해도 좋고 아니면 스타터부터 시작해 피자 또는 파스타, 메인, 디저트까지 코스별로 주문해도 좋다. 스타터 중 홈메이드 브레드는 양도 많고 토핑으로 모차렐라 치즈, 올리브&바질, 페스토 소스 등에서 선택하면 한 끼 식사가 되어서 메인이나 파스타를 시켜야 할지 고민될 수 있다. 메인도 양 많으나 다 먹게 되니 안심!

교통 : 초크 팜(Chalk Farm) 역에서 프림로즈 힐 방향. 도보 6분

주소 : 148 Regents Park Road, NW1 8XN

전화 : 020-7586-9100

시간 : 월~목·일 11:00~23:00, 금~토 ~24:00

메뉴 : 마르게리따 피자 £15, 스파게티 알라 볼로네즈 £16.85, 폴로 조라 £23, 피자 브레드 £7 내외

홈페이지 : www.pesantissimo.com

캄덴 마켓 웨스트 야드 Camden Market West Yard

런던에서 가장 큰 길거리 음식 푸드코트로 34개 길거리 음식 노점이 영업한

다. 리젠트 운하 다리 건너 왼쪽, 캠덴 로크에 자리하고 있고 영국은 물론 한국(?), 일본, 타이완, 그리스 등 세계 음식을 맛볼 수 있다. 길거리 음식은 주로 만들기 간편한 닭튀김, 버거, 돈가츠 커리&라이스, 랩, 피자, 피시&칩스, 크레페 등. 맛보다는 왁자지껄한 분위기로 사 먹게 되는 곳! 사람 매우 많으니 소지품 보관 유의!

교통 : 캠덴 타운(Camden Town) 역에서 캠덴 마켓 방향. 도보 5분

주소 : Camden Lock Pl, Camden Town, London NW1 8AF

전화 : 020-3763-9900

시간 : 월~목 11:00~18:00, 금~일 ~19:00

메뉴 : 닭튀김, 버거, 돈가츠 커리&라이스, 비언당(타이완 도시락), 랩, 피자 £9 내외

홈페이지 : www.kerbfood.com/markets/camden

*쇼핑

브런즈윅 센터 The Brunswick Centre

러셀 스퀘어 인근 주상복합빌딩으로 지상층에 상점과 레스토랑, 카페가 있어 잠시 들리기 좋은 곳이다. 패션숍인 뉴룩, 홉스, 오아시스, 오피스(신발), 부츠(잡화), 슈퍼마켓인 사인스버리 로컬, 와이트로즈 등에서 쇼핑을 하거나 레온, 난도스, 구르메 버거 키친, 지라피 등에서 식사를 해도 괜찮다. 아니면 카페에서 커피를 마시거나 베이커리에서 달달한 케이크 한 조각을 맛보아도 즐겁다.

교통 : 러셀 스퀘어(Russell Square) 역에서 도보 1분

주소 : 1 Byng Pl, Bloomsbury, London WC1N 1AW

전화 : 020-7833-6066

시간 : 11:30~24:00

홈페이지 : www.brunswick.co.uk

해리포터숍 앳 9 3/4 플랫폼 The
Harry Potter Shop at Platform 9 3/4

킹스 크로스 역 내에 있는 해리포터
기념품점이다. 숍 인근에 영화 속 해리
포터가 호그와트 마법학교로 가는 기차
를 타기 위해 벽을 뚫고 들어갔던 9
3/4 플랫폼이 있는데 항상 기념사진
찍는 사람들로 붐빈다. 한가할 때 사진
찍으려면 일찍 올 것! 상점 내에는 도
비와 니플러 인형, 9 3/4가 표시된 열
쇠고리, 해리포터의 마법지팡이, 그리
핀도르 털모자와 셔츠, 스카프, 털장갑,
체스판 등 해리포터 관련 기념품이 가
득하다.
교통 : 킹스 크로스 세인트 판크라스
(King's Cross St. Pancras) 역에서 바로
주소 : Kings Cross Station, Kings
Cross, London N1 9AP
전화 : 020-3196-7375
시간 : 08:00~22:00, 일 09:00~21:00
홈페이지 :
www.harrypotterplatform934.com

캄덴 마켓 Camden Market

리젠트 파크 북쪽에 있는 시장으로 액
세서리, 신발, 의류, 수공예품, 모자,
완구, 빈티지 등을 판매한다. 시장은
캄덴 타운 역에 올라가며 캠던로크 마
켓, 스테이블스 마켓, 캠던 카날 마켓,
벅스트리트 마켓, 일렉트릭 볼룸, 인버
니스 스트리트 마켓 등 6개 구역으로
나뉘어 있다. 상점이 매우 많으므로 마
음에 드는 물건이 있으면 흥정을 하고
살 것! 나중에 다시 찾으려면 어디 있
는지 찾기 어렵다.

상점 구경하며 캄덴 로크의 푸드코트인
커브 캄덴(KERB Camden)에서 길거
리 먹거리를 맛보는 재미가 있다. 화장
실은 레스토랑에서 식사할 때 이용하는
것이 편리! 사람들로 북적임으로 소지
품 보관에 유의하고 시장 외에는 한적
해서 혼자 외진 곳으로 가지 않도록
주의! 캄덴 로크에서 운하 보트를 타고
런던 동물원을 거쳐 리틀 베니스(워릭
에비뉴역)까지 갈 수도 있다.

교통 : 캄덴 타운(Camden Town) 역에서
북서쪽, 캄덴 마켓 방향. 도보 3분
주소 : Camden Lock Pl, Camden
Town, London NW1 8AF
전화 : 020-7485-5511
시간 : 10:00~18:00
홈페이지 : www.camdenmarket.com

사인스버리 Sainsbury's

테스코, 아스다
(ASDA), 아이슬
란드, 와이트로즈
등과 함께 영국
대표 슈퍼마켓 중 하나. 이곳은 대형
매장이고 런던 시내에서 쉽게 볼 수
있는 사인스버리 로컬은 소형 매장! 매
장 안으로 들어가면 일렬로 늘어선 계
산대와 어마어마한 상품들이 손님들을
기다린다. 채소와 과일 등은 한국보다
싸다는 느낌이고 다양한 종류의 홍차와
커피는 선물용으로 적당하다. 요리를
좋아한다면 커민, 카레, 사프란 등 갖
가지 향신료를 구입해도 좋다.
교통 : 캄덴 타운(Camden Town) 역
에서 북동쪽. 도보 2분
주소 : 17-21 Camden Rd,
Camden Town, London NW1 9LJ
전화 : 020-7482-3828

시간 : 월~금 07:00~23:00, 토
~22:00, 일 11:00~17:00
홈페이지 : www.sainsburys.co.uk

파운드 랜드 Poundland

1990년 설립된 저가 잡화점으로 런던
의 다이소 또는 천원숍이라고 할 수
있다. 매장 내 헬스&뷰티, 문구와 가정
용품, 정원용품, 음식과 음료 등이 단
돈 1파운드에 불과하다. 물론 상품은
바로 쓰고 버려도 무방한 품질이지만
그렇다고 못쓸 상품도 아니다. 간단히
쓸 칫솔, 물통, 반찬그릇, 슬리퍼, 양
말, 세제 등이 유용하고 커피, 과자,
음료 등도 먹을 만하다.
교통 : 캄덴 타운 역에서 남쪽 방향. 도보 5분
주소 : 52-56 Camden High St,
London NW1 0LT
전화 : 020-7383-0327
시간 : 08:30~20:00, 일 10:00~19:00
홈페이지 : www.poundland.co.uk

3. 런던 근교
01 그리니치 Greenwich

그리니치는 1965년 그리니치와 울리치 대부분이 합쳐져 로열버러오브그리니치 (Royal Borough of Greenwich) 지역이 되었다.

런던 시내에서 보트를 타고 템스강을 따라 그리니치에 도착하면 영국이 해양강국 시절 가장 빠른 범선이자 중국과의 차 무역을 도맡았던 커티 사크호가 반겨주고 그 옆으로 영국 해양강국의 산실이 되었던 구 왕립 해군 대학의 페인티드 홀에서 멋진 천장화와 벽화를 감상한다. 대학 남쪽으로는 영국 해양역사를 보여주는 해양 박물관이 있고 언덕 위에는 1675년 설립된 그리니치 천문대가 보인다.

천문대는 1946~1953년 런던 외곽으로 이전하였으나 관내에 경도 0도의 본초자 오선이 있기에 여전히 사람들이 즐겨 찾는다. 언덕에서 북쪽으로 해양 박물관, 구 왕립 해군 대학, 템스강, 강 건너 옛 배 만들던 도크 지역지만 지금은 고층 건물 로 가득한 카나리 워프 풍경을 바라보아도 좋다.

▲ 교통

① 경전철(DLR)_지하철/경전철 뱅크 (Bank) 역 또는 카나리워프(Canary Wharf) 역에서 경전철 타고 커티 샤크(Cutty Sark) 역 하차(19분 소요).
② 기차_차링 크로스(Charing Cross) 기차역에서 기차(Southeastern), 그리니치 역 하차(19분~31분 소요).
③ 보트_웨스트민스터/런던아이/타워 부두에서 보트, 그리니치 부두 하선
④ 버스_웨스트민스터 G 버스정류장에서 53번 버스(Plumstead행), 그리니치 공원 하차(약 40분 소요)

회사/홈페이지	노선	시간/소요시간	요금 (£)
Uber boat www.thamesclippers.com	런던아이/런던 브리지 /타워→그리니치	09:14~23:35(30분~1 시간 간격)/1시간10분	10.25
City Cruises www.citycruises.com/london	웨스트민스터/런던아이 /타워→그리니치	10:00~14:40, ※15:20, ※16:00(40분 간격) ※4~10월/1시간	15.95
Thames River Services www.thamesriverservices.co.uk	웨스트민스터→그리니치	10:00~16:00, ※16:30, ※17:00(30분 간격) ※6~8월/1시간	15

※현지 상황에 시간, 요금 달라질 수 있음. 오이스터 카드(할인) 이용 가능!

▲ 여행 포인트

① 런던 시내에서 그리니치까지 보트 유람하기
② 구 왕립 해군 대학 페인티드 홀의 천장화, 벽화 감상하기
③ 그리니치 천문대의 본초자오선에서 기념촬영 하기
④ 그리니치 마켓에서 쇼핑하고 음식 맛보기

▲ 추천 코스

웨스트민스터~그리니치 보트 유람→커티 샤크호→구 왕립 해군 대학→해양 박물관→퀸스 하우스→그리니치 천문대

154

커비트 와프

밀월 파크

뉴캐슬 드라우 독

템스 배리어 방향

놀이터

아일랜드 가든스 역 M

아일랜드 가든스

템스강

그리니치 풋(도보) 터널

테스코 익스프레스 S

템스강

그리니치 선착장

구 왕립 해군 대학

커티 샤크호

네이벌 칼리지 가든

메이즈 힐 역 T

위이트로즈 S

커티 샤크 역 M

그리니치 마켓 S

그리니치 시내

해양 박물관

퀸스 하우스

뎁트퍼드 강

녹지

사인스버리 로컬 S

팬 박물관

녹지

M 그리니치 역

그리니치 천문대

그리니치 파크

구 왕립 해군 대학 Old Royal Naval College

1873년 설립된 해군 대학이 있던 곳이다. 원래 부상 해군의 요양 병원이었는데 1696년~1712년 건축가 렌의 설계로 세워졌다. 1869년 병원이 문을 닫고 같은 건물에 해군 대학이 들어섰다. 해군 대학은 제2차 세계 대전까지

약 3만 5,000명의 해군 장교를 배출했다. 1998년 해군 대학이 폐교하고 일부 건물은 그리니치 대학에서 사용 중이다. 현재 서쪽 킹 윌리엄 코트의 페인티드 홀과 동쪽 퀸메리 코트의 채플만 일반에 공개하고 있다.

페인티드 홀은 연회장으로 화가 제임스 손힐 경이 그린 '평화와 자유의 승리'

교통 : 경전철(DLR) 커티 사크(Cutty Sark) 역에서 도보 5분 / 그리니치 부두에서 도보 3분
주소 : King William Walk, Greenwich SE10 9NN
전화 : 020-8269-4799
시간 : 10:00~17:00, 요금 : 무료
홈페이지 : www.ornc.org

해양 박물관 National Maritime Museum

를 주제로 한 바로크풍의 벽화와 천장화를 볼 수 있고 채플은 예배당으로 건축가 제임스 스튜어트가 꾸민 로코코 양식의 천장과 벽의 장식과 성서를 묘사한 제단의 프레스코화가 돋보인다. 끝으로 이곳은 옛날 플라센티아 궁전이 있던 곳으로 헨리 8세(1491년)와 그의 딸인 퀸메리(1516년), 퀸엘리자베스(1533년)가 태어난 곳이기도 하다.

1934년 설립되고 1937년 개관한 박물관으로 해양 미술관, 퀸즈 하우스, 그리니치 천문대, 커티 사크호를 포함한다. 박물관 건물은 원래 그리니치의 궁전 일부였고 나중에 해군 대학으로도 사용된 곳! 이곳에서 영국 해양역사와 관련된 지도, 도서, 선박 모형과 그림, 과학기기와 항법 기기 등을 살펴볼 수 있다.

교통 : 경전철 커티 사크 역에서 동쪽, 박물관 방향. 도보 6분 / 그리니치 부두에서 도보 4분

주소 : Park Row, London SE10 9NF

전화 : 020-8858-4422

시간 : 10:00~17:00

요금 : 무료. 기획전 유료

홈페이지 : www.rmg.co.uk/national-maritime-museum

커티 사크호 Cutty Sark

그리니치 부둣가에 있는 클리퍼 범선으로 1869년 스코틀랜드 클라이드강에서 진수됐다. 클리퍼 범선은 19세기 다수의 돛이 있는 쾌속 범선으로 영국과 아시아 간의 무역에 이용되었다. 커티 사크는 1870년대 중국과의 차 무역에 투입되었으나 1869년 개통된 수에즈 운하를 이용하는 증기선과의 경쟁에서 밀리기 시작했다. 이후 호주와의 양모 무역을 담당하다가 점차 용도를 잃어갔고 1957년 그리니치에서 해양 박물관으로 개관했다. 2007년 화재로 일부 손상되었다가 복원 후 2012년 재개관하였다. 현재 커티 사크에서 돛과 로프, 조정간 등 당시 범선 모습을 살펴볼 수 있다.

교통 : 경전철(DLR) 커티 사크(Cutty Sark) 역에서 도보 3분 / 그리니치 부두에서 도보 1분

주소 : King William Walk, London SE10 9HT

전화 : 020-8858-4422

시간 : 10:00~17:00

요금 : 성인 £20, 어린이 £10

홈페이지 : www.rmg.co.uk/cutty-sark

퀸스 하우스 Queen's House

1616년~1635년 제임스 1세의 비 앤 여왕의 명으로 건립된 고딕 양식의 건물이다. 앤 여왕의 휴식공간으로 이용됐고 이후 초기 스튜어트 왕가에서도 사용됐다. 화려한 천장 장식의 여왕 알현실(Queen's Presence Chamber), 채색이 돋보이는 나선형의 튤립 계단

(Tulip Stairs)과 그레이트 홀(Great Hall), 섬세한 문양의 대리석 바닥 등 당시 왕조의 화려함이 엿보인다.

교통 : 해양 박물관에서 바로
주소 : Romney Rd, Greenwich, London SE10 9NF
전화 : 020-8858-4422
시간 : 10:00~17:00, 요금 : 무료
홈페이지 :
www.rmg.co.uk/queens-house

그리니치 천문대 Royal Observatory Greenwich

1675년 찰스 2세의 명으로 그리니치 공원 언덕에 세워진 천문대다. 이곳에서 천문항해술 연구가 진행되었고 해, 달, 행성, 항성 등의 위치 관측 연구에서도 성과를 냈다. 1884년 이곳의 자오선을 표준시간 동경 0도 00분 00초의 기준점인 본초자오선으로 지정했고, 경도의 원점으로 삼았다. 1930년대 이미 런던 스모그로 천문 관측이 어려워 1945년 천문대를 이전하였고 1990년 천문 본부까지 케임브리지로 옮겨갔으나 여전히 천문대라는 명칭은 남았다.

주요 관측기기로는 아이작 뉴턴 망원경이라 불리는 지름 249cm 반사망원경, 90cm 반사망원경, 신형 자오환 등을 갖추고 있고 플레네테리움에서 태양 흑점과 밤하늘 별자리를 감상할 수도 있다. 천문대가 있는 그리니치 공원 언덕에서 그리니치 시내와 템스강을 내려다보는 조망도 멋지다. 언덕 위 동상은 제임스 울프로 프랑스군을 상대로 캐나다 퀘벡 전투에서 승리해 캐나다가 영국령이 되는데 크게 이바지한 인물!

교통 : 경전철 커티 샤크 역 남동쪽, 천문대 방향. 도보 14분

주소 : Blackheath Ave, London SE10 8XJ

전화 : 020-8858-4422

시간 : 천문대_10:00~17:00, 플레너테리움_주중 14:45, 16:15, 주말 12:30, 14:00, 14:45, 16:15

요금 : 천문대 £20, 플레너테리움 £12, ※커티 샤크+천문대 £30

홈페이지 : www.rmg.co.uk/royal-observatory

템스 배리어 Thames Barrier

1974~1982년 그리니치 북동쪽 울위치 지역에 세워진 홍수 예방 장벽이다. 523m의 템스강에 9개의 교각과 6개의 수문과 4개의 작은 고정 수문 등 총 10개의 수문으로 되어있다. 중앙의 4개 수문은 길이 61m, 높이 10.5m, 무게 1,500톤에 달한다. 각 교각은 번쩍이는 강철로 되어있어 공상과학 영화에 등장하는 것 같은 느낌이 든다. 그리니치에서 템스 배리어 오는 길에 오른쪽으로 둥글고 비쭉 비쭉 기둥이 있는 건물은 밀레니엄돔(THE O2)로 2012년 런던 올림픽 주경기장.

교통 : 웨스트민스터 부두에서 보트(템스 리버 서비스), 템스 배리어 경유, 그리니치 하선(10:00~16:00, ※16:30, ※17:00(30분 간격, ※6~8월, 약 1시간 소요)

주소 : Eastmoor St., London SE7 8LX

*레스토랑

버펄로 아메리칸 그릴 Buffalo American Grill & TexMex

그리니치 마켓 인근에 있는 양식당으로

런치 메뉴 중 피시&칩스, 브리또, 버거 등이 먹을만 하다.
교통 : 커티 샤크 역에서 바로
주소 : 33 Greenwich Church St, London
전화 : 020-8853-4880
시간 : 11:00~24:00(금~토 01:00)
메뉴 : 피시&칩스, 브리또, 버거, 스테이크

*쇼핑

그리니치 마켓 Greenwich Market

경전철 커티삭 역 인근에 있는 시장으로 상점과 노점이 있어 쇼핑하기 좋은 곳이다. 월·수·금·토~일에 예술품 &공예품 마켓, 화·목~금에 골동품과 수집품 마켓이 열리는데 그냥 노점과

사람 많은 날 가려면 주말에 가는 것이 좋다. 이색적인 골동품이나 독특한 디자인의 공예품 정도 사면 괜찮고 도넛, 케이크, 스카치 에크같은 먹거리 노점에서 간식을 사 먹어도 즐겁다.
교통 : 경전철 커티삭(Cutty Sark) 역에서 도보 2분
주소 : 5B Greenwich Market, London SE10 9HZ
전화 : 020-8269-5096
시간 : 10:00~17:30
홈페이지 : www.greenwichmarket.london

02 리치몬드 어펀 템스 Richmond upon Thames

런던 서쪽 템스강 상류 지역으로 정식명칭은 런던버러오브리치몬드어펀템스 (London Borough of Richmond upon Thames). 이곳은 넓은 녹지와 전원주택이 있어 런던의 분주함과 달리 시외의 한가로움이 느껴진다. 1759년 개관한 왕실 식물원 큐 가든에는 세계 각국에서 수집한 꽃이 만발해 있고 영국에서 가장 면적이 넓은 리치몬드 파크에서는 사슴과 토끼가 뛰노는 풍경을 볼 수 있다. 오솔길을 따라 언덕 아닌 언덕(?)에 오르면 멀리 런던 시내가 한눈에 들어온다.

추기경 울지가 헨리 8세에게 헌납한 햄프턴 코트 궁전에는 헨리 8세의 아파트먼트와 부엌, 윌리엄 3세의 아파트먼트, 갤러리 등이 있고 이들 공간에서 튜더기에서 조지기에 이르는 실내장식과 가구, 500여 점의 이탈리아 명화와 공예품을 볼 수 있다. 햄프턴 코트 궁전은 메리 여왕 때 베르사유 궁전을 모델로 개축하려 했지만 실현하지 못하고 일부 반원 정원과 일자형 수로가 베르사유 느낌을 준다.

해리포터 스튜디오는 런던 북서쪽 왓퍼드 지역에 있는데 영화 〈해리포터〉 테마파크이다.

▲ 교통

① 큐 가든_지하철 큐 가든(Kew Gardens) 역
② 리치몬드 파크_리치몬드(Richmond) 역에서 도보 또는 371번 버스
③ 햄프턴 코트 궁전_햄프턴 코트 (Hampton Court) 기차역
④ 해리포터 스튜디오_왓포드 정션 (Watford Junction) 기차역에서 셔틀 버스

▲ 여행 포인트

① 해리포터 스튜디오에서 세트 관람하고 체험해보기
② 천상의 정원 큐 가든에서 피크닉 즐기기
③ 햄프턴 코트 궁전에서 헨리 8세처럼 어슬렁거리기
④ 리치몬드 파크에서 멀리 런던 조망하기
⑤ 햄프턴 코트 궁전 선착장에서 보트 유람 즐기기

▲ 추천 코스

1일 해리포터 스튜디오→큐 가든, 2일 햄프턴 코트 궁전→리치몬드 파크

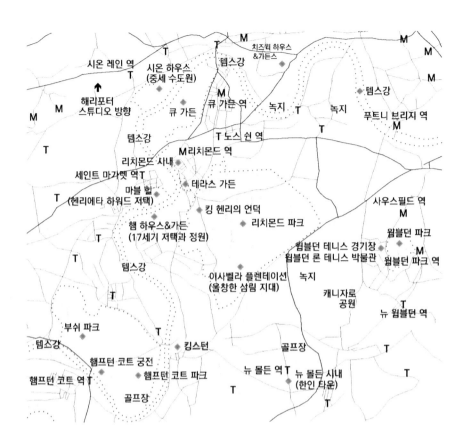

큐 가든 Royal Botanic Gardens, Kew

런던 시내 남서쪽 템스 강가에 있는

왕립식물원이다. 1759년경 조지 2세의 왕녀 오거스타가 처음 식물원을 만들었고 조지 3세 때 왕립식물원이 되었으며 1841년 일반에 개방되었다. 120헥타르(ha)의 넓은 땅에 외래 식물 포함 4만 5천여 종을 보유하고 600만여 점을 키우고 있어 세계 최고의 식물원 겸 정원으로 여겨진다.

주 출입문은 식물원 북쪽 엘리자베스 게이트이지만 지하철인 튜브를 타고 오면 식물원 중간의 빅토리아 게이트를 이용하게 된다. 게이트 안으로 들어 시계 반대 방향으로 열대 온실인 팜 하우스, 1761년 세워진 온실인 오린저리, 그 뒤로 존 내시의 설계한 온실인 내시 컨서베이토리, 1631년 세워져 원내에서 가장 오래된 건물이자 박물관으로 개방 중인 큐 궁전, 18m 고공에 올라 식물원 전체를 조망할 수 있는 트리톱 워크웨이, 대형 온실인 템퍼러트 하우스, 식물원 남쪽의 중국 팔각탑과 일본풍 문인 칙사문, 식물원 남서쪽의 퀸 샤를로테(조지 3세의 비) 별장 등이 자리한다. ※큐 가든에서 템스강 건너면 중세 수도원인 **시온 하우스 (Syon House)**로 노섬버랜드 공작이 살았던 대저택을 둘러볼 수 있다(3~10월 수·목·토·일, £10, 시온 레인 역 하차).

교통 : 런던 시내에서 리치몬드행 튜브 디스트릭 라인 이용, 큐 가든(Kew Gardens) 하차(30분 소요). 역에서 서쪽, 큐 가든 방향. 도보 4분

주소 : 2 Lichfield Rd, Richmond TW9 3JR

전화 : 020-8332-5655

시간 : 10:00~19:00(최종 입장 18:00)

요금 : 온라인 피크(2~10월) 주중_기부 불포함/기부 포함 £20/22 ※5~9월 16시 이후 £10

홈페이지 : www.kew.org

리치몬드 파크 Richmond Park

런던 남서쪽에 있는 왕립 공원 중 하나로 면적이 큐 가든의 8배인 955헥타르(ha)에 달해 영국에서 가장 넓은 도심 공원이다. 공원은 13세기 에드워드 왕이 만들었고 헨리 7세가 리치몬드 공원으로 개명했다. 1625년 찰스 1세가 전염병을 피해 런던에서 이곳으로 옮겨왔다. 1847년 펨브르크 롯지는 영국 수상이던 존 러셀의 저택이었으나 현재 템스강을 조망할 수 있는 카페로 이용된다. 펨브르크 롯지 인근의 헨리 8세의 마운드(언덕)은 공원에서 가장 높은 곳으로 이곳에서 동쪽으로 19km 떨어진 런던 시내의 세인트 폴 대성당이 아스라이 손에 잡힐 듯하다.

공원 남쪽의 이사벨 플랜테이션에서는 2차 대전 이후 조성된 울창한 숲을 만나게 된다. 보통 리치몬드 공원 여행은 튜브를 타고 리치몬드 역에 도착해 리치몬드 게이트(입구)를 통과한 뒤, 헨리 8세의 마운드로 가서 멀리 런던 시내를 조망하고 펨브르크 롯지 카페에서 차 한잔하고 돌아오는 것으로 진행된

다. 공원 산책 중, 숲과 평원에서 만나게 되는 사슴, 다람쥐, 새 등 야생동물은 덤! 공원 내 차량이 다니는 도로가 있을 정도로 넓으므로 홀로 한적한 곳에 가거나 늦은 시간 공원에 머물지 않도록 주의!

교통 : 런던 시내에서 리치몬드행 튜브 디스트릭 라인 이용, 리치몬드 (Richmond) 하차. 역에서 남쪽, 공원 입구 방향. 도보 20분/역에서 371번 버스 이용, 공원 입구 하차

주소 : Richmond Park, Richmond TW10 5HX

전화 : 0300-061-2200

시간 : 07:30~20:00

홈페이지 :
www.royalparks.org.uk/parks/richmond-park

≫테라스 가든 Terrace Gardens

리치몬드 시내에서 리치몬드 파크 가는 길에 있는 공원으로 넓은 풀밭(?)에서 피크닉을 즐기기 좋은 곳이다. 템스 강변에 있어 보트를 친구끼리 빌려 타거나 패들 서핑을 해도 즐겁다. 선착장에서 켄싱턴이나 햄프턴 코트 궁전으로 가는 보트를 탈 수도 있다. ※테라스 가든에서 템스강 건너면 마블 힐로 서퍽 백작부인 헨리에타 하워드 저택이다.

교통 : 런던 시내에서 리치몬드행 튜브 디스트릭 라인 이용, 리치몬드(Richmond) 하 차. 역에서 남쪽, 공원 입구 방향. 도보 10분

주소 : 106F Richmond Hill, Richmond TW10 6RJ

햄프턴 코트 궁전 Hampton Court Palace

런던 시내 남서쪽에 있는 궁전으로 1515년 재상 겸 추기경 울지의 저택으로 세워졌다. 이후 헨리 8세의 이혼에 반대하며 왕과의 사이가 나빠진 울지가 이를 무마하고자 헨리 8세에게 헌납하였다. 1680년 윌리엄 3세의 비 메리가 건축가 렌을 시켜 베르사유 궁전을 모델로 하는 대규모 증축을 계획하였으나 일부에 그쳤다. 궁전은 입구가 있는 서쪽에서 동쪽으로 'ㅁ'자+'ㅁ'자+'ㅁ'자의 중정이 있는 건물에, 반원의 분수 정원, 일직선의 운하가 있는

모양을 하고 있다. 건축 양식으로는 튜더 양식의 붉은 벽돌 건물이고 일부

고딕(그레이트 홀)과 르네상스 양식(외벽 장식)을 보인다. 1760년 이후 귀족의 저택으로 이용되어 튜더 양식에서 조지언 양식에 이르는 실내장식과 가구들을 볼 수 있다. 아울러 갤러리에서 이탈리아 화가 위주의 그림과 공예품이 다수 전시된다.

입구로부터 그레이트 홀이 있는 헨리 8세의 아파트먼트(저택), 영 헨리 8세의 스토리(방), 왕의 침실이 있는 윌리엄 3세의 아파트먼트, 미술관인 컴버랜드 아트 갤러리, 조지안 스토리, 헨리 8세의 부엌, 예배당인 채플 로열 등이 건물 곳곳에 자리한다. 미리 홈페이지에서 궁전 지도를 내려받아 참고하는 것이 좋다.

이제 궁전을 나오면 반원의 분수 정원과 일직선의 대운하, 궁전 남쪽으로 작은 와이너리와 사진 찍기 좋은 폰드 가든, 프리비 가든, 궁전 북쪽에 조지안 하우스와 로즈 가든 등 볼거리가 많다.

교통 : 워털루(Waterloo) 역에서 기차(사우스 웨스턴 레일) 이용, 햄프턴 코트(Hampton Court) 역 하차(약 40분 소요). 역에서 다리 건너 궁전 방향. 도보 5분

주소 : Hampton Court Palace, East Molesey, Surrey. KT8 9AU

전화 : 020-3166-6000

시간 : 10:00~18:00(최종 입장 17:00)

요금 : 주중/주말_£27.2/30

홈페이지 :

www.hrp.org.uk/hampton-court-palace

☆여행 팁_햄프턴 코트 궁전 보트 여행

햄프턴 코트 궁전 선착장에서 보트를 타고 켄싱턴, 리치몬드로 이동할 수 있다. 햄프턴 코트 궁전 선착장에서 켄싱턴까지는 45분, 리치몬드까지는 1시간 45분 소요된다. 켄싱턴 선착장에서 햄프턴 코트 파크, 리치몬드 선착장에서 리치몬드 파크로 접근할 수 있다. 짧게 유람을 즐기고 싶은 사람은 켄싱턴 왕복 코스를 이용해도 좋다.

교통 : 햄프턴 코트 궁전 입구 오른쪽, 템스강가 선착장 방향. 도보 3분

주소 : Turks Pier Hampton Court, Barge Walk, East Molesey, KT8 9AS

전화 : 020-8546-2434, 시간 : 켄싱턴&햄프턴 코트_4~5월 화~일, 리치몬드 _4~5월 토~일 ※홈페이지 운항 일시 확인!

요금 : 햄프턴 코트→켄싱턴/리치몬드 £8.8/£13.5

홈페이지 : www.turks.co.uk

윔블던 론 테니스 박물관 Wimbledon Lawn Tennis Museum

1977년 개관한 테니스 박물관으로 2006년 올 잉글랜드 론 테니스 클럽 지하에서 재개관했다. 전시장에서 1860년 문을 연 윔블던 론 테니스 코트의 역사, 1880년대부터 현대까지의 테니스 복장 변천사, 19세기 라켓과 공, 각종 트로피 등을 볼 수 있다. 테니스 스타 존 메켄로, 나파엘 나달, 로저 페더러, 마르티나 나브라틸로바, 비너스 윌리엄스 등의 사진이나 이들이 사용하던 라켓도 흥미를 끈다. 윔블던 테니스 대회 기간에는 경기 티켓 소지자만 입장가능!

교통 : 사우스필즈(Southfields) 역에서 남서쪽, 윔블던 론 테니스 코트 방향. 도보 16분

주소 : Church Rd, Wimbledon, London SW19 5AE

전화 : 020-8946-6131

시간 : 4~9월 10:00~17:30(10~3월 ~17:00)

요금 : 투어+박물관 £25, 박물관 £15

홈페이지 :
www.wimbledon.com/en_GB/mus

eum_and_tours

☆여행 이야기_윔블던 테니스 대회 The Championships, Wimbledon

세계에서 가장 오래된 테니스 대회로 전영오픈 테니스 선수권 대회라고도 한다. 프랑스오픈, 호주오픈, US오픈과 함께 테니스 그랜드 슬램 경기 중 하나로 꼽힌다. 1877년 1회 대회가 열렸고 두 번의 세계 대전 시기를 제외하고 매년 6월 제4주~7월 제1주 동안 윔블던 론 테니스 코트에서 경기가 열린다. 윔블던 론 테니스 코트는 두 개의 메인 경기장을 포함한 18개의 천연 잔디 경기장을 보유하고 있다. 대회는 남녀 싱글스, 남녀 더블스, 혼합더블스, 주니어 등의 부문으로 나뉘고 우승자는 켄트 후작으로부터 우승 접시(?)를 받는다. 총 상금은 약 477억이고 남녀 우승자는 약 32억이 수여된다. 한국 선수 중에는 전미라가 여성 주니어부, 이종민, 김선용, 정현이 남성 주니어부에서 준우승한 기록을 가지고 있다. 아울러 대회가 흥미로운 점은 참가 선수는 모두 경기복은 물론 속옷까지 흰색을 입어야 한다는 것!

뉴몰든 New Malden

런던 시내 남서쪽 지역으로 런던에서 한국인 가장 많이 살고 있어 한인 타운을 이룬다. 뉴몰던 중심가인 하이 스트리트를 중심으로 한국 식당과 카페, 한국 슈퍼마켓, 노래방, 여행사, 미용실 등을 볼 수 있다. 한국 음식을 맛보거나 한국 식료품을 살 때 방문하기 좋다. ※한국 라면, 고추장 등은 차이나타운의 중국 슈퍼마켓에서도 구매 가능!

교통 : 워털루 역에서 기차(South Western Railway), 뉴몰든(New Malden) 역 하차, 바로

주소 : Coombe Rd, Surrey, New Malden KT3 4PX

해리포터 스튜디오 The Making of Harry Porter

2012년 런던 북서쪽 32km 떨어진 왓포드에서 개장한 해리포터 테마파크로 워너브라더스 스튜디오(Warner Bros. Studio Tour)에서 운영한다. 워너브라더스는 소설 해리포터 시리즈를 8편의 영화로 제작했고 그때 만들어진 세트나 의상, 소품을 이곳에서 전시한다. 스튜디오는 실내 구역과 실외 구역으로 나뉜다. 실내 구역에서는 덤블도어 교장, 맥고나걸, 스네이프, 해그리드 밀랍인형이 있는 마법 학교의 식당, 〈해리포터와 불의 잔〉에 등장한 무도회 의상, 그림이 살아 움직이던 기숙사 계단, 해리포터와 헤르미온느의 의상, 덤블도어의 교장실, 골든 스니치 소품, 마법약 실습실, 킹스 크로스 역의 9와 3/4 승차장, 증기기차 등을 볼 수 있고 특수 효과를 이용해 마법의 지팡이 체험도 할 수 있다. 다양하게 표현된 세트 스케치와 모형도 볼만하고 영화 속에 등장한 온갖 맛의 젤리, 무알콜 음료인 버터 비어도 놓치지 말고 맛을 보자. 선물로는 마법사의 지팡이, 도비 인형 추천!

시외 구역에서는 〈해리포터와 아주카반의 죄수〉에 나온 3층 버스, 해리포터가 살았던 더즐리의 집, 호그와트 다리, 〈해리포터와 마법사의 돌〉에 나온 각종 조각상 등이 있어 기념촬영을 하기 좋다. 스튜디오를 찾는 사람이 많으므로 홈페이지에서 예매 필수! 역에서 스튜디오 도착 후 입장권 발권 후 입장 대기하고 기념품은 다른 곳에서 사기 어려울 수 있으니 마음에 들면 바로 구매!

교통 : 유스턴(Euston) 역에서 기차(내셔널 레일) 이용, 왓포드 정션(Watford Junction) 하차(20분 소요). 역에서 셔틀버스 이용, 스튜디오 도착(왕복 £2.5, 09:20~22:00, 20분 간격, 15분 소요)

주소 : Warner Bros. Studio Tour,

Studio Tour Drive, Leavesden, WD25 7LR
전화 : 0345-084-0900
시간 : 투어 시간_09:30~19:00, 30분 간격(폐점 시간 22:00)
요금 : 성인 £49.5, 어린이(5~15) £39.95 ※애프터눈 티 £60
홈페이지 : www.wbstudiotour.co.uk

☆여행 이야기_해리포터 소설과 영화

해리포터는 J. K. 롤링이 쓴 소설로 마법사의 아들인 해리포터의 성장기를 다루고 있다. 해리포터 시리즈는 1997년~ 2007년 〈해리포터와 마법사의 돌〉, 〈해리포터와 비밀의 방〉, 〈해리포터와 아주카반의 죄수〉, 〈해리포터와 불의 잔〉, 〈해리포터와 불사조 기사단〉, 〈해리포터와 혼혈 왕자〉, 〈해리포터와 죽음의 성물〉 등 7편으로 완간되었다. 이 시리즈는 67개 언어로 번역되었고 4억5천만 부 이상 판매되어 세계적인 인기를 끌었다.

소설 해리포터는 2001년~2011년 〈해리포터와 마법사의 돌〉부터 〈해리포터와 죽음의 성물 1, 2부〉까지 8편이 워너브러더스를 통해 영화화되었다. 이들 시리즈는 전 세계에서 7억 7,230만 달러의 수익을 올려 두 번째로 높은 영화 시리즈가 되었다. 영화는 선을 상징하는 해리포터와 악을 상징하는 볼드모트 간의 최후 대결로 끝을 맺었고 10년에 걸친 영화 시리즈로 인해 주인공인 해리포터, 론 위즐리, 헤르미온느 그레인저가 어린이에서 성인으로 성장하는 모습을 볼 수 있었던 것도 흥미로운 점이다.

*레스토랑&카페

리치몬드 역에서 리치몬드 파크 가는 길에 또르띠야, 파파야 루이지에나 치킨, 부에노스 아이레스 아르헨티나 스테이크 같은 레스토랑이 늘어서 있으므로 식사하거나 커피를 마시기 좋다.

03 윈저 Windsor

런던 서쪽 약 37km 지점에 있는 도시로 버크셔주의 로열버러오브윈저&메이든헤드(Royal Borough of Windsor and Maidenhead)에 속한다. 정복왕 윌리엄이 템스강 북단에 성벽을 쌓으며 도시가 형성되었고 1276년 에드워드 1세의 시 칙허장을 받았다. 11세기 목조 건물에서 출발한 윈저성은 정복왕 윌리엄, 에드워드 3세 등에 의해 증·개축 되어 오늘에 이르고 영국 여왕의 주말 거처로 이용된다.

윈저성에는 영국 여왕이 머무는 프라이빗 아파트먼트, 여행자에게 개방된 스테이트 아파트먼트, 퀸메리의 돌하우스, 왕실 예배당인 세인트 조지 채플 등이 있다. 고딕 양식의 세인트 조지 채플에는 채플을 세운 에드워드 4세, 헨리 6세, 메리 여왕 등 10명의 왕족이 묻혀있고 최근 해리 왕자와 배우 마클의 결혼식이 열리기도 했다.

아울러 버킹엄 궁전의 근위병 교대식보다 화려하진 않지만 좀 더 가까운 곳에서 볼 수 있는 윈저성의 근위병 교대식도 인기를 끈다. 시간이 되면 윈저성 인근의 영국 사립명문 이튼 칼리지에 들려도 좋다.

▲ 교통

① 기차_패딩턴(Paddington) 기차역에서 기차(Great Western Railway, GWR), 윈저&이튼 센트럴(Windsor& Eton Central) 역 하차. 수시로, 약 25~40분 소요.

② 기차_워털루(Waterloo) 기차역에서 기차(South Western Railway), 윈저&이튼 리버사이드(Windsor & Eton Riverside) 역 하차. 수시로, 약 55분 소요.

③ 버스_빅토리아 코치스테이션에서 그린버스 702번, 윈저(Windsor Parish Church) 하차. 08:00~20:00(1시간 간격), 1시간 30분 소요

▲ 여행 포인트

① 윈저성 스테이트 아파트먼트와 돌하우스 둘러보기

② 윈저성 근위병 교대식 구경하고 기념사진 찍기

③ 이튼 칼리지에서 오래된 학교, 학생들 만나보기

④ 윈저 선착장에서 보트 유람 즐기기

⑤ 레고랜드에서 동심으로 돌아 가보기

▲ 추천 코스

빅토리아 여왕 동상→윈저성 근위병 교대식→윈저성 스테이트 아파트먼트→퀸 메리의 돌 하우스→세인트 조지 채플→이튼 칼리지

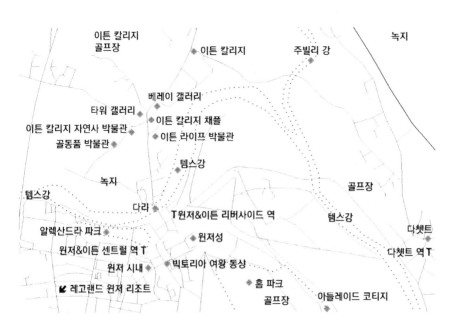

이튼 칼리지 골프장
이튼 칼리지
주빌리 강
녹지
베레이 갤러리
타워 갤러리
이튼 칼리지 채플
이튼 칼리지 자연사 박물관
이튼 라이프 박물관
골동품 박물관
템스강
녹지
골프장
템스강
템스강
다라
T윈저&이튼 리버사이드 역
다쳇트
알렉산드라 파크
윈저성
다쳇트 역 T
윈저&이튼 센트럴 역 T
빅토리아 여왕 동상
윈저 시내
레고랜드 윈저 리조트
홈 파크
골프장
아들레이드 코티지

윈저성 Windsor Castle

런던의 버킹엄 궁전, 에든버러의 훌리

루드궁과 함께 영국 여왕의 공식 거처 중 한 곳이다. 주로 주말에 엘리자베스 여왕이 머무는 것으로 알려졌다. 윈저 성은 11세기 소소한 목조주택에서 시 작해 정복왕 윌리엄 이후 여러 차례 증·개축이 진행됐다. 중앙의 라운드 타 워를 중심으로 동쪽에 스테이트 아파트 먼트 갤러리와 퀸메리의 돌 하우스, 프 라이빗&비지터 아파트먼트, 서쪽에 세 인트 조지 채플과 앨버트 메모리얼 채 플이 위치한다. 1992년 큰 화재로 피 해를 보았으나 현재 모두 복구된 상태. 주요 볼거리는 화려한 장식과 명화를 볼 수 있는 스테이트 아파트먼트, 인형 의 집인 퀸메리의 돌 하우스, 영국에서 가장 뛰어난 고딕 건물인 세인트 조지 채플 등이 있고 매주 화·목·토 11시에 열리는 근위병 교대식도 놓치지 말자.

교통 : 윈저&이튼 센트럴(Windsor&Eton Central) 역에서 동쪽, 도보 7분

주소 : Windsor Castle, Windsor, Berkshire, SL4 1NJ

전화 : 0303-123-7334

시간 : 11:~2월 09:45~15:00, 3~10월 09:30~16:00, 휴무 : 윈저성 사정에 따라 휴무. ※**홈페이지 예약 필수**

요금 : 온라인_£30, 현장_£33

홈페이지 :

www.royalcollection.org.uk/visit/windsorcastle

≫스테이트 아파트먼트 The State Apartments

왕의 집무실과 침실, 연회장 등이 있는 건물. 17세기 찰스 2세는 사촌인 프랑스 루이 14세의 베르사유 궁전에 영향을 받아 성의 인테리어를 안토니오 베리오의 천장화와 그린링 기번즈의 조각 등으로 꾸며 영국에서 가장 웅장한 스테이트 아파트먼트로 만들었다. 이후 워털루 챔버, 세미 스테이트 아파트먼트, 그랜드 리셉션룸 등이 추가되었고 이들 공간에 홀바인, 루벤스, 반다이크 등의 작품이 걸려있다.

≫퀸메리의 돌 하우스 Queen Mary's Dolls' House

1921~1924년 건축가 에드윈 루티엔스가 메리 여왕을 위해 만든 미니어처 전시장. 실제 저택과 방을 1:12로 축소하는데 그치지 않고 방 안의 침대, 책상, 의자, 책, 꽃 같은 소품까지 세세하게 표현되어 있어 눈길을 끈다.

≫세인트 조지 채플 St George's Chapel

영국에서 가장 뛰어난 고딕 양식 건물

중 하나로 1475년 에드워드 4세 때 현재의 건물이 세워졌다. 부채꼴 지붕과 스테인드글라스가 아름답고 바닥에는 헨리 8세, 그의 셋째 부인 제인 시모어, 찰스 1세 등 10명의 왕족이 잠들어 있다. 일요일에는 미사 때문에 일반인에게 개방되지 않는다. 최근 해리 왕자와 배우 마클의 결혼식이 열리기도 했다.

≫원저성 근위병 교대식 Changing the Guard

매주 화·목·토요일 왕실을 지키는 근위병의 교대식이 원저성 정원에서 시행된다. 이왕이면 근위병 교대식이 있는 날 원저성에 방문해보자. 근위병 교대식이 없는 날에는 보초를 서고 있는 근위병과 기념사진을 찍어도 괜찮다.

위치 : 원저성

시간 : 화·목·토요일 11:00

빅토리아 여왕 동상 Queen Victoria Statue

1887년 조각가 에드가 보엠이 빅토리아 여왕의 골든 주빌리(50주년)를 기념해 원저성 앞에 세운 것이다. 빅토리아 여왕(재위 1837~1901년)은 자본주의의 선두 국가로서 영국의 전성기를 이뤘고 정치적으로 보수당과 자유당의 이당 체제를 안정적으로 이끌었다. 아울러 '군림하되 통치하지 않는다.'라는 영국 군주제를 잘 운용하였다고 평가받는다. 남편은 앨버트 공으로 1861년 원저성에서 사망했고 훗날 빅토리아 여왕과 함께 원저성 인근 프로그모어에 안장됐다.

교통 : 원저&이튼 센트럴(Windsor&Eton Central) 역에서 동쪽, 도보 7분

주소 : Castle Hill, Windsor SL4 1PD

☆여행 팁_리버 보트 여행 River Boat Trip

원저 선착장에서 보트를 타고 템스강 유람을 할 수 있다. 상설 운항하는 코스는 원저 선착장-원저 레이스 코스(경마장)-보벤리 로크의 40분 코스와 원저 선착장-보벤리 로크-이튼 도니(조정 경기장)-브레이 로크의 2시간 코스가 있다. 보트에서 보는 원저성이 색다르고 강을 따라 펼쳐진 영국 전원 풍경도 상쾌하다. 원저성 구경을 생각하면 40분 코스가 적당하다.

교통 : 원저&이튼 역에서 북쪽, 템스강 방향. 도보 5분
위치 : The Clewer Boathouse, Clewer Court Rd., Windsor SL4 5JH
전화 : 01753-851-900
시간 : 4~10월 40분 코스_10:00~17:00, 2시간 코스_13:30, 14:30 또는 14:30 ※월별로 조금씩 시간 다름
요금 : 온라인_40분 코스_£10.6, 2시간 코스_£17.6
홈페이지 : www.frenchbrothers.co.uk

이튼 칼리지 Eton College

1440년 헨리 6세가 세운 학교로 영국에서 가장 크고 가장 유명한 사립 남자 중고교다. 학생 모두 기숙사 생활을 하고 학비가 비싸 부유층 자제들이 많이 다닌다. 수업은 예부터 라틴어, 그리스어를 바탕으로 한 인문 과목 위주로 진행되었으나 근현대를 지나며 수학, 자연과학, 예술 등의 과목이 추가되었다. 이 학교 출신으로 로버트 월폴, 데이비드 카메론 등 20여 명의 총리, 윌리엄과 해리 왕자 등 왕가의 자제, 올더스 헉슬리, 조지 오웰 등 작가 등 다수의 영국 정치, 문화계 인사들이 있다. 원저성에서 북쪽으로 작은 마을을 지나 채플, 어퍼 스쿨, 사빌레 하우스 등 학교 건물이 보이고 어퍼 스쿨 안쪽에 창립자인 헨리 6세의 동상이 있다. 학교 주변으로 턱시도 교복(?)을 입은 학생들도 돌아다닌다. ※이튼 칼리지 내 박물관과 갤러리도 들러보자.
교통 : 빅토리아 동상에서 북쪽, 다리 건너 칼리지 방향. 도보 21분

주소 : Windsor SL4 6DW   홈페이지 : www.etoncollege.com
전화 : 01753-370-100

이튼 라이프 박물관 Museum of Eton Life	토~일 14:30~17:00	무료
골동품 박물관 Museum of Antiquities	일 14:30~17:00	무료
이튼 칼리지 자연사 박물관 The Natural History Museum	일 14:30~17:00	무료
베레이 갤러리 Verey Gallery	일 14:30~17:00	무료
타워 갤러리 Tower Gallery	일 14:30~17:00	무료

※개방 일시 홈페이지 참조!

레고랜드 윈저 리조트 LEGOLAND® Windsor Resort

윈저 시내 남서쪽에 세계적인 조립완구 레고의 테마파크가 있다. 테마파크 중앙에 닌자고 랜드, 우측에 나이츠 킹덤, 위쪽에 킹덤 오브 파라오, 왼쪽에 미니랜드 등 테마섹션이 자리하고 곳곳에 꼬마 기차, 바이킹, 롤러코스터 같은 어트랙션이 있어 즐겁다. 테마파크 위쪽의 워터파크에서 물놀이를 즐겨도 괜찮다. 단, 레고 섹션과 어트랙션, 워터파크 등이 모두 어린이 눈높이 맞춰져 있다는 사실을 알아두자.

교통 : 빅토리아 코치 스테이션에서 그린라인 702번, 히스로 터미널5에서 703번 버스 또는 윈저에서 레고랜드 셔틀버스(월~토 191번_09:35~18:45, 일 200번, £4), 600번 버스 이용

주소 : Winkfield Rd, Windsor SL4 4AY

전화 : 0871-222-2001

시간 : 09:30~17:00(토~일 ~18:00)

요금 : 온라인 세이버 £29, 1일 입장 +어드벤처 골프 £39 ※**홈페이지 예약 필수**

홈페이지 : www.legoland.co.uk

*레스토랑&카페

빌스 Bill's Windsor Restaurant

원저&이튼 센트럴 역 바로 옆에 있는 양식당 체인점으로 블랙퍼스트부터 브런치 디너까지 음식을 낸다. 커피에 디저트를 맛보아도 좋다.

교통 : 원저&이튼 센트럴 역에서 바로
주소 : Jubilee Arch, Windsor Royal Station, 64-67 Goswell Hill
전화 : 020-8054-5400

시간 : 08:00~22:00(목~토 ~23:00)
메뉴 : 블랙퍼스트, 브런치, 버거, 스테이크, 치킨, 샐러드

또르띠아 원저 Tortilla Windsor

멕시코 레스토랑으로 브리또, 타코스, 퀘사딜라 같은 음식을 맛볼 수 있다.

교통 : 원저&이튼 센트럴 역에서 남쪽, 도보 3분
주소 : 12a Peascod St, Windsor
전화 : 017-5398-7944
시간 : 11:00~21:00
메뉴 : 브리또, 타코스, 퀘사딜라

*쇼핑

닥터 촉스 원저 초콜릿 팩토리 Dr Choc's Windsor Chocolate Factory

수제 초콜릿을 만드는 과정을 볼 수 있고 초콜릿 맛도 볼 수 있는 곳!

교통 : 원저&이튼 센트럴 역에서 동쪽, 도보 5분
주소 : 23 Thames St, Windsor SL4 1PL 영국
전화 : 017-5386-5222
시간 : 11:00~18:00

04 케임브리지 Cambridge

런던 북동쪽 90km 지점에 있는 도시로 예부터 런던과 런던 북부 노팅엄, 리즈 등을 잇는 교통의 요지이자 중세 상업 중심지였다. 1209년 옥스퍼드에서 학자와 시민 간의 분쟁으로 일부 학자와 학생들이 케임브리지로 이주한 뒤 1284년 최초로 케임브리지 대학교 칼리지인 피터 하우스를 열면서 대학 도시로 발전했다.

캠강을 따라 중세 건축의 백미로 여겨지는 킹스 칼리지와 킹스 채플, 퀸스 칼리지, 트리니티 칼리지 등이 늘어서 있고 대학 부설 피츠윌리엄 박물관, 케임브리지 대학교 식물정원은 퀸스 칼리지 남쪽에 위치한다.

템플 기사단 이야기가 나오는 영화 〈다빈치 코드〉를 좋아한다면 영국 4대 중세 라운드 교회 중 하나인 라운드 교회를 방문해도 괜찮다.

아울러 퀸즈 칼리지 인근 선착장에서 대학생 사공이 끌어주는 보트 유람인 펀팅을 해봐도 즐겁다.

▲ 교통

① 기차_킹스 크로스(King's Cross) 기차역에서 기차(Great Northern), 케임브리지역 하차. 수시로, 46분~1시간 23분 소요. ※역에서 관광 안내소까지 도보 23분

② 기차_리버풀 스트리트(Liverpool Street) 역에서 기차(Greateranglia), 케임브리지 역 하차. 수시로, 1시간 11분~1시간 23분 소요

③ 버스_빅토리아 코치스테이션에서 버스(National Express Bus), 케임브리지(Parker's Piece 북단 정류장) 하차. 수시로, 2시간~2시간 40분 소요

▲ 여행 포인트

① 킹스 칼리지 교정과 채플 둘러보기

② 라운드 교회에서 템플 기사단 흔적 찾아보기

③ 피츠윌리엄 박물관에서 고고학 유물과 예술품 감상하기

④ 케임브리지 대학교 식물정원에서 정원 보며 산책하기

⑤ 캠강에서의 보트 유람, 펀팅 해보기

▲ 추천 코스

킹스 칼리지→트리니티 칼리지→세인트 존스 칼리지→라운드 교회→캠강 펀팅→피츠윌리엄 박물관→케임브리지 대학교 식물정원

지저스 그린
(녹지)

케틀 야드

세인트 존스 칼리지
스포츠 단지

세인트 존스 칼리지

미드서미 커먼
(녹지)

강

탄식의 다리

라운드 교회

더 그라프턴
S

트리니티 칼리지

케임브리지
마켓 스퀘어
S

크라이스트 피스즈
(녹지)

로빈슨 칼리지

킹스 칼리지
&채플

S

라이온 야드

내셔널 익스프레스
버스 정류장

수학의 다리

밀 로드 묘지

퀸스 칼리지

고고학&인류학 박물관

파커 피스(공원)

펀팅 선착장

피츠윌리엄 박물관

울프슨 칼리지

폴라 박물관
(극지방 박물관)

캠강

라마스 랜드
(녹지)

케임브리지 대학교
식물정원

케임브리지 역
T

케임브리지 대학교 University of Cambridge

1284년 개교한 대학교로 옥스퍼드와 함께 영국에서 가장 오래되고 권위 있는 대학 중 하나! 대학의 시작은 1209년 옥스퍼드에서 학자와 시민 간

의 분쟁으로 일부 학자들이 케임브리지로 이동한 데 기인한다. 14세기 옥스퍼드 대학이 종교 개혁자인 위클리프 사건(교황권에 대한 영국의 독립 표방)에 휘말려 이교로 몰리자 학생들이 케임브리지로 이동했고 왕실의 지지도 받았다. 공교롭게 케임브리지의 설립과 발전 모두 옥스퍼드에 대한 반동에 따른 것이어서 흥미롭다.

1284년 최초의 칼리지인 피터 하우스를 시작으로 트리니티 홀(1350), 퀸스(1448), 세인트존(1511), 피츠윌리엄

(1869), 처칠(1960), 다윈(1964), 호머턴(1976), 로빈슨(1977) 등 31개 칼리지가 있고 이중 머레이 에드워즈, 뉴넘, 루시 캐번디시는 여대로 운영된다.

케임브리지는 수학과 자연과학 분야에서 강점으로 가진 것으로 알려져 있고 주요 졸업생으로는 과학자 아이작 뉴턴, 찰스 다윈, 스티븐 호킹, 경제학자 존 케인스, 정치가 대영제국 초대 총리 로버트 월폴, 인도 총리 라지브 간디 등. 대학 부설 기관 중 케임브리지 출판사는 세계에서 가장 오래된 인쇄소이자 출판사이고 대학 박물관 중 고고학 유물과 예술품을 전시하는 피츠윌리엄 박물관, 대학 식물정원이 볼만하다. 대학생 사공이 노를 젓는 캠강 유람(Punting)도 놓치지 말자.

교통 : 잔디광장 파커스 피스(Parker's Piece) 북쪽 버스정류장에서 시내 관광 안내소(The Guildhall, Peas Hill)까지 도보 8분

주소 : The Old Schools, Trinity Ln, Cambridge CB2 1TN

전화 : 01223-337-733

홈페이지 : www.cam.ac.uk

≫킹스 칼리지 King's College

1441년 헨리 6세가 설립한 칼리지로 정식명칭은 케임브리지의 성모 마리아와 성 니콜라스의 킹스 칼리지(King's College of Our Lady and Saint Nicholas in Cambridge)이나 보통 킹스 칼리지로 불린다. 문과와 이과가 동시에 강점을 보여 수학자 앨런 튜링, 소설가 포스터, 노벨 문학상 수상자 패트릭 화이트 같은 졸업생을 배출했다.

채플은 1446년 수직 고딕 양식으로 건축을 시작해 1461년 장미전쟁으로 중단되었고 1506년 재개되어 1515년 완공되었다. 장미전쟁은 1455~1485년에 걸쳐 붉은 장미 문장의 랭커스터가와 흰 장미 문장의 요크가 사이에서 벌어졌던 왕위 쟁탈전! 웅장한 외관도

멋있지만, 채플 내부의 중세 스테인드 글라스와 튜더 왕조 목공예와 목 조각, 세계에서 가장 큰 부채꼴 둥근 천장, 재단에 걸린 루벤스의 〈동방박사의 경배(Adoration of the Magi)〉 등은 진귀한 볼거리가 된다. 아울러 성가대와 함께 하는 크리스마스이브 미사는 일종의 음악회로 매년 BBC에서 생중계할 정도로 유명하다.

교통 : 케임브리지 관광 안내소에서 킹스 칼리지 방향. 도보 2분

주소 : King's Parade, Cambridge CB2 1ST

전화 : 01223-331-100

시간 : 채플_월~토 09:30~16:45, 마지막 입장 16:00~16:15. 야외 개방 ~17:15. 일 10:00~16:15, 마지막 입장 15:30~15:45. 야외 개방 ~16:45

요금 : 온라인 £14~15 ※**홈페이지 예약 필수**

홈페이지 : www.kings.cam.ac.uk

≫**트리니티 칼리지 Trinity College**
1546년 헨리 8세에 의해 설립된 대학으로 케임브리지 칼리지 중 가장 규모가 크다. 주요 건물은 트리니트 칼리지 뉴코트, 렌 라이브러리, 그레이트 코트, 채플 등. 주요 졸업생으로 수학자이자

철학자 러셀, 시인 바이런, 물리학자이자 천문학자 뉴턴, 찰스 황태자 등이 있고 30여명의 노벨상, 수학의 노벨상인 필즈상 수상자를 배출했다. 뉴턴은 졸업 후 33년 동안 교수로 재직하기도 했다. 최근 사망한 물리학자 스티븐 호킹도 이곳에서 교수를 역임하고 응용수학·이론물리학과(DAMTP)에서 연구했다. 캠퍼스 중 그레이트 코트와 채플, 렌 라이브러리가 일반에 개방되고 채플 인근 트리니티 길가에 뉴턴의 사과나무가 심겨 있으니 찾아보자.

교통 : 관광 안내소에서 북쪽, 트리니티 칼리지 방향. 도보 4분. 투어_Garrett Hostel Lane 이용

주소 : Trinity College, Cambridge

CB2 1TQ

전화 : 01223-338-400

시간 : 가이드 투어 10:00/14:00, 렌 라이브러리 월~금 12:00~14:00, 토 10:30~12:30

※홈페이지 예약 필수

요금 : 가이드 투어_£5, 렌 라이브러리_무료

홈페이지 : www.trin.cam.ac.uk

☆여행 이야기_아이작 뉴턴 Isaac Newton

1642년 영국 동부 링컨셔의 울즈소프에서 출생한 아이작 뉴턴은 1661년 케임브리지의 트리니트 칼리지에 입학했다. 수학자 아이작 배로의 지도로 1664년 학사 학위를 받았고 잠시 고향으로 돌아간 1666년 만유인력의 법칙을 발견하였다. 1669년 아이작 배로 후임으로 교수가 되었고 초기 광학 분야 연구에 집중해 1668년 뉴턴식 반사 망원경을 제작했다. 수학 분야에서 오늘날의 미적분법에 대한 사항을 정리했고 역학 분야에서 유명한 만유인력의 법칙을 정립해 1687년 〈자연철학의 수학적 원리(프린키피아)〉를 출간했다. 1696년 런던으로 이주해 조폐국 장관, 왕립협회 회장 등을 역임하다가 1727년 런던 켄싱턴에서 사망해 웨스트민스터 사원에 묻혔다. 그는 근대 과학 성립의 최고 공로자로 여겨진다.

≫세인트 존스 칼리지 St John's College

1511년 설립된 칼리지로 퍼스트~서드 코트, 노스 코트, 채플, 뉴코트, 머튼 코트 등으로 구성된다. 캠강을 가로질러 서드 코트와 뉴코트를 연결하는 탄식의 다리(Bridge of Sighs)는 1831년 세워졌는데 베네치아 탄식의 다리를 모방한 것이다. 옥스퍼드 대학에도 같은 이름의 다리가 있다. 이 대학 출신으로 낭만파 시인 윌리엄 워즈워스, 정치가이자 노예폐지론자 윌리엄 윌버포스와 토머스 클락슨 등이 있고 10명의 노벨상 수상자, 7명의 영국 총리를 배출했다.

교통 : 관광 안내소 북쪽, 트리니티 칼
리지 그레이트 코트 지나. 도보 5분
주소 : St John's College, St
Johns St, Cambridge CB2 1TP
전화 : 01223-338-600
시간 : 3월 말~10월 초 10:00~16:00
※개방 일시 홈페이지 확인
요금 : £12 ※현금 불가, 카드 이용
홈페이지 : www.joh.cam.ac.uk

≫퀸스 칼리지 Queens' College
1448년 헨리 6세의 비 마가렛이 처음
으로 세웠고 1475년 에드워드 4세의
비 엘리자베스 우드빌이 건물을 추가하
며 재설립했다. 퀸스 칼리지는 케임브
리지에서 가장 오래되고 규모가 큰 대
학 중 하나. 1749년 캠강을 가로지르
는 아치형 목교인 수학의 다리
(Mathematical Bridge)가 처음 세워
졌고 1866년과 1905년 재건되었다.
가장 유명한 재학생으로는 네덜란드 인
문 학자이자 르네상스 시대에 가장 중

요한 학자로 꼽히는 에라스뮈스를 들
수 있다. 그는 1499년과 1509~1511
년 영국을 여행하고 퀸스 칼리지에서
공부했으며 영국 시인 토머스 모어 집
에 머물며 일주일 만에 가톨릭을 비판
하고 성직자의 위선과 신학자의 허구를
풍자한 〈우신예찬(Moriae Encomium)〉
을 썼다. 대학은 일반에 개방되지 않고
연회나 결혼식장으로 대여할 수 있다.

교통 : 관광 안내소에서 남서쪽, 캠강
건너. 도보 7분
주소 : Queens College, Silver St,
Cambridge CB3 9ET
전화 : 01223-335-500
시간 : 1~4월/7~12월 10:00~16:30
※개방 일시 홈페이지 확인

요금 : £5 　　　　　　　홈페이지 : www.queens.cam.ac.uk

☆여행 팁_캠강 펀팅 River Cam Punting

케임브리지의 캠강에서의 보트 유람을 펀팅(Punting)이라고 하는데 이는 삿대로 움직이는 직사각형의 평저형(평평 바닥) 보트 펀트(Punt)에서 기인한 것이다. 선착장은 퀸스 칼리지 인근에 있고 북쪽으로 수학의 다리(1749년, 못 없이 목재만으로 조립), 킹스 칼리지, 트리니트 칼리지, 탄식의 다리, 세인트 존스 칼리지를 둘러보는 칼리지 백 코스와 남서쪽으로 그랜트체스터 빌리지를 다녀오는 코스로 나뉜다. 캠강가 칼리지 풍경이 색다르고 대학생 사공이 끌어주는 보트 유람이 낭만적이다.

교통 : 관광 안내소에서 남서쪽, 캠강 건너 수학의 다리 부근. 도보 7분

주소 : Silver St, Cambridge CB3 9EU

전화 : 01223-354-164, 07966-157-059, 시간 : 10:00~18:00

요금 : 사공(Chauffeur) 45분/1시간 £20/£22. 그랜체스터 빌리지 투어 £25, 보트 대여_1시간(최대 6명) £30

홈페이지 : http://cambridge-chauffeur-punts.co.uk

≫피츠윌리엄 박물관 The Fitzwilliam Museum

1816년 설립된 박물관으로 고고학 유물과 예술품을 전시한다. 케임브리지 대학 부설 박물관 중 하나로 비스카운트 피츠윌리엄의 기증품을 소장할 목적으로 만들어졌다. 건물은 네오클래식(신고전) 양식으로 삼각형의 박공벽과 원기둥이 있는 그리스 신전을 닮았다. 전시는 이집트, 그리스와 로마 등 고대 세계, 도자기, 가구, 조각 등 응용예술, 코인&메달, 원고와 도서, 그림과 인쇄 등의 카테고리로 나뉘어 박물관 종합선물세트를 연상케 한다. 이중 이집트, 그리스와 로마 유물, 모네, 르누아르, 드가, 세잔느 같은 인상파 작품, 게인

즈버러, 블레이크, 터너 같은 영국 화가의 작품이 돋보인다.
케임브리지 여행은 칼리지 보는 것이 우선이므로 중간에 시간 내서 관람!

교통 : 관광 안내소에서 남쪽, 박물관 방향. 도보 8분
주소 : Trumpington St, Cambridge CB2 1RB
전화 : 01223-332-900
시간 : 목~토 10:00~17:00, 일 12:00~17:00, 휴무 : 월요일, 12월 24~26 일, 12월 31일~1월 1일
요금 : 무료
홈페이지 :
www.fitzmuseum.cam.ac.uk

≫케임브리지 대학교 식물정원
Cambridge University Botanic Garden
케임브리지 대학 산하의 식물정원으로 1831년 찰스 다윈의 멘토였던 존 스티븐 헨슬로 교수가 설립했고 1846년 일반에 개방되었다. 16헥타르(ha)의 부지에 전 세계에서 온 8,000여 종의 식물이 자라고 있다. 입구로부터 보그 가든, 연못, 록 가든, 선인장과 난이 있는 온실, 정원 속의 작은 숲인 길버트 카터 우드랜드, 브리티시 와일드 플랜트 등 다양한 정원과 시설이 위치한다. 꽃이 만발하는 봄철 방문하면 좋고 낙엽 지는 가을도 운치가 느껴진다. 일요일 오후 2시 30분, 무료 일요일 투어가 진행된다.

교통 : 관광 안내소에서 남쪽, 식물 정원 방향. 도보 20분
주소 : 1 Brookside, Cambridge CB2 1JE
전화 : 01223-336-265
시간 : 4~9월 10:00~18:00, 2~3월,

10월 ~17:00, 11~1월 ~16:00
요금 : £8.5, 어린이 무료
홈페이지 : www.botanic.cam.ac.uk

라운드 교회 The Round Church

1130년 경 로마네스크 양식으로 세워진 교회로 1842년 대규모 재건축되었다. 정식명칭은 케임브리지의 성묘 교회(The Church of the Holy Sepulchre, Cambridge)이나 예배당이 원형이어서 라운드 교회라 불린다. 원형 예배당은 템플 기사단의 템플 교회 특징 중 하나로 2003년 소설 다빈치 코드가 인기를 끌 때 라운드 교회도 관심을 받은 적이 있다.

예루살렘의 성묘 교회를 모방해 세워졌고 현존하는 영국 4대 중세 라운드 교회 중 하나이자 케임브리지에서 두 번째로 오래된 건물이다. 현재는 교회가 아닌 케임브리지 종교 역사를 소개하는 박물관으로 쓰인다.

교통 : 관광 안내소에서 북쪽, 세인트 존스 칼리지 지나. 도보 6분
주소 : Round Church Vestry, Bridge St, Cambridge CB2 1UB
전화 : 01223-311602
시간 : 화 13:30~17:00, 수~토 10:00~17:00, 가이드 워크 수~토 14:15
휴무 : 일~월요일
요금 : 입장료 £3.5, 가이드 워크 £14
홈페이지 :
www.roundchurchcambridge.org

☆여행 팁_케임브리지 칼리지 가이드 투어 Guided Walks of Cambridge Colleges
라운드 교회 방문자 센터에서 출발해 케임브리지의 세인트 존스 칼리지, 트리니티 칼리지, 킹스 칼리지 등 지나며 가이드의 설명(영어)을 들을 수 있는 투어다. 개별적으로 칼리지에 입장할 수 있지만, 칼리지에 대한 내력을 모르면 겉보기에 그칠 수 있다. 아는 만큼 보인다고 가이드의 설명을 들으며 여러 칼리지를 살펴보고 인상 깊었다면 나중에 개별적으로 방문해도 좋다. ※CS 루이스 워크, 종교개혁 산책, 만다린 워크 등 테마 투어도 있음.

전화 : 01223-311602

시간 : 수~토 14:15 출발 ※90~120분 소요. **홈페이지 예약 필수**

요금 : 성인 £14, 학생 £12, 어린이(12세 이하) 무료

신청 : www.roundchurchcambridge.org/Groups/257764/Home/VISIT/Walks/Walks.aspx

*레스토랑&카페

피츠빌리스 Fitzbillies

펀팅장 부근에 위치한 카페로 첼시번, 브런치로 유명한 곳이다. 세트 메뉴가 푸짐하고 가성비 좋다.

교통 : 펀팅장, 피츠윌리엄 박물관에서 바로

주소 : 51-53 Trumpington St, Cambridge

전화 : 01223-352-500

시간 : 08:00~18:00

메뉴 : 첼시번, 블랙퍼스트, 브런치, 애프터눈티

아이비 케임브리지 브레서리 The Ivy Cambridge Brasserie

영국식 레스토랑 체인점으로 블랙퍼스트에서 디너까지 양질의 음식을 낸다. 이곳 역시 런치 세트 메뉴가 적당하다.

교통 : 트리니티 칼리지에서 바로

주소 : City Centre, 16 Trinity St, Cambridge

시간 : 08:30~23:00

메뉴 : 블랙퍼스트, 브런치, 런치, 디너

*쇼핑

케임브리지 마켓 스퀘어 Cambridge Market Square

광장에 채소, 과일, 빵, 술 노점이 가득! 구경하는 재미가 있다.
교통 : 케임브리지 성모 마리아 교회 뒤, 바로
주소 : Market Hill, Cambridge
전화 : 01223-457-466
시간 : 08:00~18:00

라이온 야드 Lion Yard

대학가 동쪽 한 블록 떨어진 곳에 위치한 현대식(?) 쇼핑센터. 잠시 쉬어가기 좋은 곳!
교통 : 케임브리지 시내에서 바로
주소 : St Tibb's Row, Cambridge
전화 : 01223-656-730
시간 : 09:00~18:00(수 ~19:00, 일 11:00~17:00)

05 옥스퍼드 Oxford

런던 북서쪽 약 80km 지점에 있는 도시이다. 912년 앵글로색슨 시절 이미 정치적으로 중요한 위치를 점했고 1142년 정복왕 윌리엄의 외손자 스티븐 왕과 헨리 1세의 딸인 마틸다의 왕권 전쟁으로 도시가 소실되기도 했으나 헨리 2세 때 시특허장을 받았다. 1167년 헨리 2세가 영국 학생의 파리 유학을 금지하면서 옥스퍼드 대학이 급속히 발전했고 이에 따라 옥스퍼드도 대학 도시로 성장했다.

가장 규모가 큰 크라이스트처치는 영화 〈해리포터〉에 등장해 여행객의 인기를 얻었고 크라이스트처치 대성당은 12~16세기경 로마네스크에서 고딕에 이르는 중세 건축을 대표한다.

1602년 설립된 보들리언 도서관은 영국에서 발행된 모든 초판을 보유하고 있고 자연사 박물관은 다윈의 진화론에 관한 위대한 토론이 열린 곳이기도 하다. 카팩스 타워를 중심으로 한 옥스퍼드 시내도 중세 모습을 간직하고 있어 타임머신을 타고 간 듯하다.

▲ 교통

-옥스퍼드

① 기차_패딩턴(Paddington) 기차역에서 기차(GWR), 옥스퍼드 역 하차. 수시로, 약 1시간 소요
② 버스_빅토리아 코치스테이션 전, 길가 10번 버스정류장에서 버스(옥스퍼드 튜브), 옥스퍼드(High St.) 하차. 수시로 1시간 30분 소요

-비스터 빌리지

① 버스_옥스퍼드 막달렌 스트리트(Magdalen St.) C4 정류장에서 S5 또는 X5번 버스(30분 간격, 약 30분 소요), 비스터 빌리지 하차
② 기차_런던 메릴본(Marylebone) 역에서 기차(Chiltern railways), 수시로, 약 50분 소요. 비스터 빌리지 역 하차

▲ 여행 포인트

① 크라이스트처치 둘러보고 영화 〈해리포터〉 흔적 찾기
② 보들리언 도서관과 래드클리프 카메라 둘러보기
③ 세인트 메리 버진 대학 성당의 첨탑에서 옥스퍼드 시내 조망하기
④ 자연사 박물관에서 공룡 뼈대, 표본 살펴보기
⑤ 처칠가와 인연 있는 블랜하임 궁전 방문하기
⑥ 아웃렛 비스터 빌리지에서 명품 쇼핑 즐기기

▲ 추천 코스

1일 옥스퍼드 대학 자연사 박물관→보들리언 도서관→래드클리프 카메라→세인트 메리 버진 대학 성당→카팩스 타워→크라이스트처치 칼리지→옥스퍼드 성
2일 블렌하임 궁전

블렌하임(블레넘)
궁전 방향

옥스퍼드 대학교
자연사 박물관

비스터 빌리지 방향

녹지

녹지 강

강

세인트 캐서린 칼리지

녹지

해리스 맨체스터 칼리지

애쉬몰린 박물관

트리니티 칼리지

녹지

발리올 칼리지

글로스터 그린 마켓
S

과학사 박물관

보들리언 도서관

더 글로브
(녹지)

강

T 옥스퍼드 역

래드클리프 카메라

강

세인트 피터 칼리지

세인트 메리 버진 대학 교회

녹지

하천

커버드 마켓 S

하이 스트리트
옥스퍼드 튜브 버스 정류장

마들린 칼리지

강

옥스퍼드성

카팩스 타워

옥스퍼드
식물정원

녹지

머튼 칼리지

강

웨스트게이트 옥스퍼드
S

톰 타워

머튼 필드
(녹지)

마들린 칼리지 스쿨

존 루이스&파트너스
S

크라이스트 처치
크라이스트 처치 미술관

처웰강

세인트 힐다 칼리지

캐슬 밀 스트림
(하천)

크라이스트
처치 미도우
(녹지)

템스강

공원

옥스퍼드 대학교 University of Oxford

1096년 강의 기록이 있어 영어권 국가 중 가장 오랜 전통을 자랑하는 대학교다. 1167년 헨리 2세가 영국 학생이 파리 대학으로 유학 가는 것을 막은 뒤로 크게 발전했다. 1209년 옥스퍼드에서 학자와 시민 간의 분쟁으로 일부 학자들이 이탈해 케임브리지 대학교가 설립되었다. 대학 초기에 아리스토텔레스의 사상을 기반으로 자연철학, 도덕철학, 형이상학 등을 강의하였고 14세기 존 위클리프가 가톨릭을 비판함으로써 영국 종교개혁의 선구자 역할을 하기도 했다. 15세기 말~16세기 이탈리아에서 르네상스를 경험하고 온 에라스뮈스와 학자들, 이에 영향을 받은 토마스 모어 등이 영국 문예 부흥의 중심으로 활동했다.

13세기 유니버시티 칼리지(1249년), 베일리얼 칼리지, 머튼 칼리지(1263년) 등 개별 칼리지가 설립되기 시작했고 이후 더 퀸즈 칼리지(1341년), 머들린 칼리지(1458년), 크라이스트처치 칼리지(1546년) 등이 세워졌고 현재 38개의 칼리지와 6개의 상설사설학당(Permanent Private Hall, PPH)으로 성장했다. 상설사설학당은 외부 종교기관이 성직자 양성과 신학 교육을 목적으로 한 대학 협력 교육기관. 대학 부속 기관으로 보들리언 도서관(1602년), 래드클리프 과학도서관 등 100여 개 이상의 도서관과 영국에서 가장 오래된 애슈몰린 박물관(1683년), 자연사 박물관, 크라이스트처치 미술관 등이 있다.

학생 수업은 튜터의 지도를 받는 면담 지도(Tutorial Class) 형태이다. 재학생의 1/3이 유학생이어서인지 졸업생 중 빌 클린턴 미국 대통령, 인디라 간디 인도 총리, 로버트 호크 호주 총리 같은 외국 정치가가 많다. 영국인 중에는 에드워드 히스, 마가렛 대처, 토니 블레어 등 영국 총리 27명이 이곳 출신이다. 노벨상 수상자는 경제학자 조셉 스티글리츠, 시인 T.S 엘리엇 등 29명에 이른다. 대학은 무료와 유료로 개방되는데 각 칼리지 별로 다르다.

교통 : 런던 빅토리아 버스터미널에서 옥스퍼드행 버스 이용, 옥스퍼드 하차

주소 : University of Oxford, Oxford, OX1 2JD

전화 : 01865-270-000

홈페이지 : www.ox.ac.uk

※주요 칼리지 방문 정보

대학 명칭	위치	전화	시간	요금
배일렬 칼리지 Balliol College	Broad St.	01865-277-777	10:00-17:00	£3
브래스노스 칼리지 Brasenose College	Radcliffe Square	01865-277-830	월~금 10:00~11:30 일 09:00~10:30	£3
지저스 칼리지 Jesus College	Turl St.	01865-279-700	14:00-16:30	£3
머들린 칼리지	High St.	01865-276-000	10:00~19:00	£8

Magdalen College				
머튼 칼리지 Merton College	Merton St.	01865-276-310	월~토 14:00~17:00 일 12:00~17:00	£8
뉴 칼리지 New College	Holywell St.	01865-279-555	4~10월 10:00~17:00 11~4월 13:30~16:30	£8
오리엘 칼리지 Oriel College	Oriel Square	01865-276-555	14:00~17:00	£3
트리니티 칼리지 Trinity College	Broad St.	01865-279-900	월~금 09:00~16:00 토~일 13:00~16:00	£3
유니버시티 칼리지 University College ※외부만	High St.	01865-276-602	10:00~12:00 14:00~16:00	£3

※개방 일시, 요금 등 상황에 따라 바뀔 수 있음. 그 외 All Souls College, Corpus Christi College, Exeter College, Harris Manchester College(채플만), Hertford College, Keble College, Kellogg College, Lady Margaret Hall, Linacre College, Lincoln College, Mansfield College, Nuffield College, Somerville College, St Anne's College, St Catherine's College, St Edmund Hall, St John's College, St Peter's College, Wadham College, Wolfson College, Worcester College 등 무료 개방. 자세한 사항은 각 대학 홈페이지 참조!

≫옥스퍼드 대학교 자연사 박물관
Oxford University Museum of Natural History
1850년 설립된 옥스퍼드 대학 부설 자연사 박물관이다. 박물관 건물은 1855~1860년 네오고딕 양식으로 세워졌다. 주 전시장인 메인 코트는 날렵한 주철 기둥에 햇볕이 잘 드는 유리 천장으로 되어있다. 소장품은 동물과 곤충 컬렉션을 포함한 라이프 컬렉션, 화석과 암석을 포함한 어스 컬렉션으로 나누어진다. 이들 컬렉션은 메인 코트와 어퍼 갤러리에서 볼 수 있는데 메인 코트에서 공룡과 고래의 골격과 화석, 다윈의 조각상, 도도새 박제, 어퍼 갤러리에서 곤충 표본, 새의 박제, 각종 암석 등이 전시된다.

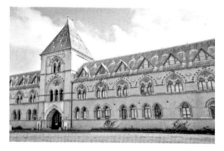

자연사 박물관의 상징이기도 한 도도새는 16세기 말 인도양의 모리셔스 섬에 발견된 날지 못하는 새로 사람과 함께 섬에 들어온 개, 고양이, 돼지 등의 습격 때문에 1680년 멸종됐다. 17세기 도도새의 박제가 박물관에 기증되었으나 이마저 불에 타고 머리와 다리 한쪽만 남아 있다. 도도 박제는 도도새가 진화론의 산물이자 멸종과정을 보여주는 마지막 증거로서 가치가 있다. 아울러 이곳에서는 찰스 다윈의 진화론에 관한 위대한 토론이 벌어진 곳으로도 알려져 있다.

교통 : 옥스퍼드 관광 안내소(15-16 Broad St.)에서 북쪽, 박물관 방향. 도보 8분 / 내셔널익스프레스 하이 스트리트 버스정류장에서 도보 10분

주소 : Parks Rd, Oxford OX1 3PW

전화 : 01865-272-950

시간 : 10:00~17:00, 요금 : 무료

홈페이지 : www.oum.ox.ac.uk

☆여행 이야기_찰스 다윈과 위대한 토론

1809년 태어난 찰스 다윈(Charles Robert Darwin)은 에든버러 대학에서 의학을 공부하다 중퇴 후 케임브리지 대학에서 신학 동식물을 공부했다. 1831년 식물학자 헨슬로의 권유로 해군측량선 비글호에 승선하여 박물학자로서 남아메리카, 갈라파고스를 비롯한 남태평양의 섬, 호주 등을 탐사하고 1836년 귀국했다. 이를 바탕으로 1839년 〈비글호 항해기〉, 1859년 논문 〈종의 기원〉을 발표했다. 종 기원의 정식명칭은 '자연 선택에 의한 종의 기원에 관하여(On the Origin of Species by Means of Natural Selection or the Preservation of Favoured Race in the Struggle for Life)' 였다. 이후 1880년 아들 프랜시스 다윈과 함께 〈식물의 운동학〉이란 책을 출간했고 1882년 켄트 타운에서 숨을 거

됐다. 다윈의 진화론은 뉴턴의 역학과 함께 일대 혁신을 가져와 이후 과학계와 세계사에 큰 영향을 미쳤다.

위대한 토론은 1860년 6월 30일 옥스퍼드 자연사 박물관에서 있었던 찰스 다윈의 진화론에 관한 것이다. 이날 다윈의 지지자이자 다윈의 불록이란 별명의 토마스 헨리 헉슬리와 다윈의 반대자이자 옥스퍼드 주교 사무엘 윌버포스가 토론을 벌였다. 진화론이 발표되고 7달 후의 이 토론에서 헉슬리, J.D. 후커 등의 지지로 다윈의 견해가 인정받았다.

≫애쉬몰리언 박물관 Ashmolean Museum

1677년 A. 애쉬몰이 설립하고 1683년 일반에 공개된 옥스퍼드 대학교 부설 박물관이다. 이곳은 영국에서 가장 오래된 박물관이자 근대 박물관의 시초로 여겨진다. J.트레이드스캔트 부자의 수집품을 기초로 하고 1908년 자연과학과 인류학이 분리되어 미술과 고고학 전문 박물관으로 재탄생하였다. 고대 이집트 유물(G/F), 그리스 크레타 유물(G/F), 고대 영국 유물(G/F), 이슬람과 인도 유물(1F), 이탈리아 초기 르네상스 회화(2F), 피사로와 19세기 회화

(3M/F) 등 볼거리가 많다.

교통 : 관광 안내소에서 북서쪽, 박물관 방향. 도보 3분

주소 : Beaumont St, Oxford OX1 2PH

전화 : 01865-278-000

시간 : 10:00~17:00, 휴무 : 월요일

요금 : 무료

홈페이지 : www.ashmolean.org

≫과학사 박물관 Museum of the History of Science

중세에서 19세기까지의 과학기기를 전시하는 박물관이다. 올드 애쉬몰리언 빌딩을 박물관으로 사용하는데 이는 1894년 애슈몰린 박물관이 새 건물로 이전하기 전까지 애쉬몰리언 박물관으로 사용되던 곳이다. 1931년 5월 옥스퍼드 대학교를 방문한 아인슈타인이 사용한 칠판, 해시계, 천체 망원경, 육분의, 마르코니의 무선통신 실험 장비

등 흥미로운 전시품이 많다.

박물관 옆의 원통형 건물은 1664~1669년 세워진 **셸도니언 극장** (The Sheldonian Theatre)으로 내부에 찰스 2세의 궁정 화가 로버트 스트레터의 천장화가 있고 위층에서 옥스퍼드 시내를 조망할 수도 있다.

교통 : 관광 안내소에서 동쪽, 박물관 방향. 도보 1분

주소 : Broad St, Oxford OX1 3AZ

전화 : 01865-277-293

시간 : 12:00~17:00, 휴무 : 월요일

요금 : 무료

홈페이지 : www.mhs.ox.ac.uk

≫**보들리언 도서관 Bodleian Library**

1327년 우스터의 주교 토마스 콥엄이 설립한 옥스퍼드 대학 부속 도서관으로 영국에서 가장 오래된 도서관이자 대영 도서관에 이어 두 번째로 큰 도서관이다. 1550년 에드워드 6세 때 도서관이 폐쇄되기도 했으나 1602년 토머스 보들리 경이 재건하였다. 도서관은 15세기의 험프리 공의 도서관, 17세기의 스쿨즈 콰드랭글, 18세기의 클래런던 관과 래드클리프 카메라, 21세기의 웨스턴 도서관으로 이루어져 있다. 도서관에는 1610년 이래 영국에서 출간된 모든 초판본을 소장하고 있어 세계에서 가장 많은 자료를 보유한 도서관 중 하나로 여겨진다. 소장품은 500만 부 이상의 도서, 100만 점의 지도, 1만 5

천 점의 필사본 등.

첨탑 입구가 있는 'ㅁ'자 건물이 스쿨즈 쿼드랭글이고 안쪽의 사각 광장을 지난 곳에 입구 홀, 그 뒤로 신학교(Divinity School)와 예배실(Convocation House)이 있다. 스쿨즈 쿼드랭글 위층(1~2층)에 철학, 고전 등 분야별 서고와 열람실, 신학교 위층(1층)에 험프리공의 열람실(도서관)이 자리한다. 클래런던 관과 웨스턴 도서관은 스쿨즈 쿼드랭글 북쪽, 래드클리프 카메라는 스쿨즈 쿼드랭글 남쪽에 위치한다. 이들 시설을 개별적으로 둘러보긴 어렵고 도서관 투어로만 가능하다. 투어로도 서고 안에 들어갈 순 없고 밖에서 볼 수 있을 뿐인데 수백 년 된 책의 느낌이 묵직이 전해진다.

교통 : 관광 안내소에서 동쪽, 도서관 방향. 도보 4분

주소 : Broad St, Oxford OX1 3BG

전화 : 01865-287-400

시간 : 월~토 09:00~17:00, 일 11:00~17:00 ※**홈페이지 예약 필수**

홈페이지 :

https://visit.bodleian.ox.ac.uk/tours/library-guided-tours

투어(소요시간)	볼거리	시간	요금
도서관 가이드 투어 Library guided tours	신학교, 올드 보들리안 도서관 등	30분, 60분, 90분	£10/15/20
오디오 가이드 Audio guide	신학교, 레드 클리프 광장 등	45분~60분	£5
옥스퍼드 시티 워킹 투어 City of Oxford walking tour	신학교, 보들리안 도서관, 래드클리프 카메라 등	90분~120분	£20

※래드클리프 카메라&옥스퍼드 시티 투어(£25), 문학 옥스퍼드 워킹 투어(£20)도 있음

≫**래드클리프 카메라** Radcliffe Camera
1737~1749년 제임스 깁스가 영국식 팔라디오 양식으로 세운 원형 건물이다. 영국 최초의 돔형 도서관으로 지상층 출입구와 열람실, 1층 열람실과 갤러리로 되어있다. 1861년 이후 보들리언 도서관의 열람실로 이용되고 있고 영어, 역사, 신학 등 60만 권 이상의 장서를 소장하고 있다. 여행객은 보들리언 도서관 투어로 둘러볼 수 있다.

교통 : 보들리언 도서관에서 남쪽으로 바로
주소 : Radcliffe Sq, Oxford OX1 3BG
전화 : 01865-277-162
시간 : 월~금 09:00~22:00, 토 10:00~16:00, 일 11:00~17:00
홈페이지 :
https://visit.bodleian.ox.ac.uk

≫세인트 메리 버진 대학 교회
University Church of St Mary the Virgin

1086년 이전에 세워진 교회으로 15~16세기 성당의 상당 부분이 영국 후기 고딕 건축 양식인 퍼펜디큘러(수직) 양식으로 재건축되었다. 첨탑은 1280년 건설됐고 탑의 장식은 1320년대 완성됐다. 13세기 대학본부로 사용되어 이곳에서 강의와 학위 수여식이 열렸다.

1555년 이곳에서 재판이 열려 메리 여왕의 구교(가톨릭) 환원에 반대한 영국 국교회(성공회)의 토머스 크랜머 캔터베리 대주교, 휴 라티머 주교, 니콜라스 리들리 주교 등이 유죄를 받고 화형당하기도 했다. 이후 학위 수여식, 졸업식이 열리는 행사장으로 쓰이다가 17세기 이후 예배 장소로만 이용된다. 성공회 미사는 일요일 오전 10시 30분 열린다. 여행자는 127개의 계단을 올라 첨탑에서 북쪽으로 보들리언 도서관과 래드클리프 카메라, 남쪽으로 옥스퍼드 시내를 조망하기 좋다.

교통 : 관광 안내소에서 남동쪽, 대학 방향. 도보 5분
주소 : The High Street, Oxford OX1 4BJ
전화 : 01865-279-111
시간 : 타워_월~토 09:30~17:00(7~8월 ~18:00), 일 11:30~17:00(7~8월 ~18:00), 요금 : 대학_무료, 타워_£6
홈페이지 :
www.universitychurch.ox.ac.uk

≫크라이스트 처치 Christ Church
1546년 헨리 8세가 설립한 대학 겸 교회로 그 기원은 710년 세인트 프라이드와이드 수도원의 색슨 수도원인 것

으로 알려졌다. 1682년 건축가 렌이 첨탑인 탐 타워(Tom Tower)를 세웠고 1862~65년 출입구 건물인 메도우 건물이 건축됐다. 세인트 알데이트 거리 쪽부터 사각형 안뜰인 탐쿼드랭글(탐쿼드), 그 위로 펙워터 쿼드랭글, 탐쿼드 옆으로 크라이스트처치 대성당, 성당 아래로 입구인 메도우 건물이 자리해 옥스퍼드 칼리지 중 가장 큰 규모를

자랑한다. 크라이스트처치는 귀족 전통이 강한 것으로 알려져 있어선지 1980년이 되어서야 여성 학생이 입학할 수 있었다. 주요 졸업생으로는 작가 루이스 캐럴, 비평가 존 러스킨, 철학자 존 로크, 안토니 이든과 윌리엄 글래드스톤 등 13명의 영국 총리 등이 있다.

견학은 입구이자 학부 학생의 숙소인 메도우 건물을 지나, 부채꼴 천장이 아름다운 홀 스테어케이스(1638년), 영화 〈해리포터〉에 등장했고 벽에 주요 졸업생의 초상화가 걸려있는 그레이트 홀, 79.5x80.5m로 옥스퍼드에서 가장 큰 사각형 안뜰인 탐쿼드의 사우스코너, 세인트 프라이드와이드의 묘가 있고 오래된 스테인드글라스로 유명한 크라이스트처치 예배당, 세인트 프라이드와이드 수도원의 일부인 더 클로이스터, 탐쿼드의 노스 코너, 학부생의 숙소와 도서관으로 쓰이는 또 하나의 사각형 안뜰인 펙워터 쿼드랭글의 안뜰, 크라이스트처치 미술관(추가 유료) 순으로 진행된다. 대성당은 일반인도 입장할 수 있으니 아름다운 성가대 노래를 들을 수 있는 합창 성체 미사(서비스) 시간에 방문해도 좋다.

교통 : 관광 안내소에서 남쪽, 칼리지

방향. 도보 7분

주소 : Christ Church, St Aldate's, Oxford OX1 1DP

전화 : 01865-276-492

시간 : 매일 09:00~17:00

요금 : 온라인_데일리 멀티미디어 투어 1~2월/11~12월 £17, 3~10월/12월 26일~1월 2일 £18, 가이드 투어 30분/60분 £14/24 ※홈페이지 예약 필수

홈페이지 : www.chch.ox.ac.uk

≫크라이스트 처치 미술관 Christ Church Picture Gallery

1968년 개관한 크라이스트처치 부설 미술관으로 영국에서 가장 중요한 사설 컬렉션 중 하나로 여겨진다. 특히 카라 바조와 함께 초기 바로크의 2대 거장 안니발레 카라치(The Butcher's Shop), 두초, 조반니 파올로 콜로나, 필리포 라피(The Wounded Centaur) 등의 그림과 레오나르도 다 빈치, 라파엘 미켈란젤로 등의 드로잉

등 14~18세기 이탈리아 회화에 강점이 있다. 현대식 건물에 반 딕, 틴토레토, 베로네제, 카라치, 리피 등 300여점의 회화과 2천여 점의 스케치를 소장, 전시한다.

교통 : 크라이스트처치에서 바로

주소 : Oriel Square, Oxford OX1 4EP

시간 : 월, 목~토 11:00~17:00, 일 14:00~15:00, 휴무 : 화요일, 12월 25일, 1월 1일, 요금 : £6

홈페이지 : www.chch.ox.ac.uk/gallery

카팩스 타워 Carfax Tower

13세기 세워진 세인트 마틴 교회의 일부로 카팩스란 명칭은 불어 까르푸(Carrefour, 사거리)에서 온 것이다. 19세기 말 근처를 지나는 교통량이 많아지자 교회를 허물고 타워만 남겨뒀다. 타워의 높이는 23m이고 타워의 시계가 매 15분이 되면 시계 밑의 인형들이 종을 친다. 이 때문에 인형들을 쿼터 보이(Quarter boys)라고도 부른다. 타워 내부 99개의 좁은 계단을 오르면 옥스퍼드 시내가 한눈에 들어온다. ※시간

이 되면 카팩스 타워 인근 타운홀 내의 옥스퍼드 역사를 소개하는 **옥스퍼드 박물관**(Museum of Oxford, 월~토 10:00~17:00, 일 휴무)에 들려도 괜찮다.

교통 : 관광 안내소에서 남쪽, 카팩스 타워 방향. 도보 5분
주소 : Queen St, Oxford OX1 1ET
전화 : 01865-792-653
시간 : 11~2월 10:00~15:00, 3월/10월 10:00~16:00, 4~9월 10:00~17:00
요금 : 성인 £4, 어린이 £3

옥스퍼드성 Oxford Castle

1071년 노르만의 귀족 로버트 도일리

가 옥스퍼드 시내 서쪽 강가에 세운 중세의 성이다. 1642-1651년 성의 대부분은 의회파와 왕당파 사이의 영국 내전으로 파괴되었고 1888년 이후 옥스퍼드 감옥으로 사용되었다가 1996년 폐쇄되었다. 이후 성의 망루인 세인트 조지 타워, 지하실, 숲 등이 일반에 개방되었고 나머지는 호텔, 상점 등으로 이용된다. 지하 처형실에 남성 유령, 지하 복도에 수도승 유령이 출몰한다는 소문이 있어 으스스한 느낌이 든다.

교통 : 관광 안내소에서 서쪽으로 가다가 좌회전. 도보 8분
주소 : 44-46 Oxford Castle, Oxford OX1 1AY
전화 : 01865-260-666
시간 : 10:00~17:00
휴무 : 12월 24~26일
요금 : 온라인_가이드 투어 £16.2
홈페이지 : www.oxfordcastleandprison.co.uk

☆여행 이야기_런던과 런던 근교의 유네스코 세계유산

영국에는 유네스코(UNESCO)에서 지정한 26개 세계문화유산, 4개의 세계자연유산, 1개의 세계혼합유산이 있다. 이중 런던과 런던 근교에는 블렌하임 궁전(Blenheim Palace, 1987), 캔터베리 대성당(Canterbury Cathedral, St Augustine's Abbey, and St Martin's Church, 1988), 바스(City of Bath,

1987), 그리니치 해양유적(Maritime Greenwich, 1997), 웨스트민스터 궁전& 웨스트민스터 사원(Palace of Westminster&Westminster Abbey including Saint Margaret's Church, 1987), 큐 가든(Royal Botanic Gardens, Kew, 2003), 스톤헨지(Stonehenge, Avebury&Associated Sites, 1986), 런던탑(Tower of London, 1988) 등. 마그나카르타는 세계기록유산 중 하나!

블렌하임(블레넘) 궁전 Blenheim Palace

1705~1722년 완공된 건축가 존 밴브루와 니콜라스 호크스무어가 바로크 양식으로 설계한 궁전이다. 옥스퍼드 북서쪽 옥스퍼드셔 우드스톡에 있는 이 궁전은 1704년 블렌하임 전투에서 승리를 거둔 말버러 공 존 처칠을 기리기 위한 것이다. 존 처칠은 영국 총리를 지낸 윈스턴 처칠의 선조이고 이곳에서 윈스턴 처칠(1874년)이 태어났다. 궁전은 'U'자 형 본관인 그레이트 코트, 그레이트 코트 정면의 호수와 블렌하임 공원, 남쪽에 로즈 가든, 남동쪽에 플레저 가든으로 이루어져 있다. 블렌하임 공원에 로마 장군 복장을 존 처칠이 40m의 승전 기둥 위에 있고 본관에서는 화려한 태피스트리와 프레스코 화화 가구, 서적, 윈스턴 처칠이 태어난 방 등을 볼 수 있다.

로즈 가든 가는 길의 다이아나 신전은 윈스턴 처칠이 클레멘타인 호지어에게 청혼한 곳이기도 하다. 플레저 가든에서 그레이트 코트까지 꼬마 기차(50센트)를 타고 갈 수 있고 이탈리안 가든, 분수대 워터테라스, 호수, 로즈 가든 등 사진 찍기 좋은 곳도 많아, 한가롭게 하루를 보내기 좋다.

교통 : 옥스퍼드 글로스터 그린(Oxford's Gloucester Green) 버스스테이션, 옥스퍼드 역에서 S3번, 7번 버스(30분 소요) 이

용 / 옥스퍼드 역에서 기차 이용, 한버러 (Hanborough) 역 하차. 역에서 플레저 가든까지 도보 36분
주소 : Woodstock OX20 1PP
전화 : 01993-810-530
시간 : 09:00~16:30, 휴무 : 12월

24~26일
요금 : 프리빌리지 패스(상점&식당 할인 포함) £48, **궁전+공원+정원(추천)** £38, 공원+정원 £28
홈페이지 : www.blenheimpalace.com

☆여행 이야기_블렌하임(블레넘) 전투 Battle of Blenheim

1704년 8월 스페인 왕위 계승을 둘러싸고 영국-오스트리아 동맹국과 프랑스-바이에른 동맹국 간의 전투다. 당시 스페인 왕인 카를로스 2세는 합스부르크 왕가의 후손이자 오스트리아 왕가, 프랑스와 혼인 관계였다. 카를로스 2세가 위독해지자 유럽 각국이 스페인 분할을 논했으나 빈의 신성로마제국 레오폴트 1세가 반대했고 카를로스 2세가 사망하자 왕위는 프랑스 루이 14세의 손자 앙주 공작 필리프(펠리페 5세)에게 넘어갔다. 이에 빈의 레오폴트 1세는 자신의 둘째 아들 카를 대공에게 스페인 왕위를 넘길 것을 요구하며 영국-오스트리아 동맹이 맺고 프랑스-바이에른 동맹과 블렌하임에서 전투를 벌였다.

이 전투에서 존 처칠이 이끄는 영국 동맹국이 승리함으로써 당시 무적이던 프랑스군을 무력화시켰고 펠리페 5세를 스페인 왕으로 인정하는 대신 프랑스와 스페인은 합병하지 못하게 됐다. 아울러 스페인은 스페인령 지브롤터, 미노르카를 영국에, 네덜란드, 나폴리, 사르데냐, 플란데런, 밀라노 등을 오스트리아, 시칠리아, 밀라노 일부를 사보이아에 할양해 몰락하는 계기가 되었다. 게다가 30년간 아시엔토라 불린 스페인령 아메리카에 대한 독점 무역권도 영국에 양도해야 했다. 이 때문에 영국 역사가 에드워드 크리시는 블렌하임 전투를 영국 역사상 결정적인 승리 중 하나로 꼽기도 했다.

*레스토랑&카페

코스모 COSMO All You Can Eat World Buffet Restaurant

아시아 요리, 피자, 파스타, 디저트 등을 내는 가성비 뷔페. 배부르게 먹을 수 있다는 것에 방점!
교통 : 애쉬몰리언 박물관 남쪽 바로
주소 : 8 Magdalen St, Oxford
전화 : 01865-297-575
시간 : 12:00~21:30(금~토 22:30)
메뉴 : 런치, 디너 뷔페

터틀 베이 Turtle Bay Oxford

브런치, 런치, 디너를 내는 카리브 레스토랑 체인점. 플레터 메뉴가 가성비 좋다.
교통 : 애쉬몰리언 박물관 남쪽 오른쪽 골목 안, 바로
주소 : 12 Friars Entry, Oxford
전화 : 01865-242-141
시간 : 12:00~23:00(목 24:00, 금~토 익일 01:00, 일 ~22:00)
메뉴 : 브런치, 런치, 디너

*쇼핑

커버드 마켓 The Covered Market Oxford

1774년 문을 연 시장으로 고풍스런 목제 지붕이 있는 아케이드 시장이다. 시장 내에 정육점, 청과물 상점, 의류점, 신발 상점, 꽃집, 베이커리, 잡화점, 기념품점 등이 있어 쇼핑하기 좋다. 베이커리에서 푸딩과 파이를 맛보아도 괜찮고 레스토랑과 카페에서 식사하거나 커피를 마셔도 즐겁다. 이곳에서 간단히 요기하고 더 많이 둘러보자.

교통 : 관광 안내소에서 남쪽, 도보 3분
주소 : Market St, Oxford OX1 3DZ
시간 : 08:00~17:00, 일 10:00~16:00
홈페이지 :
http://oxford-coveredmarket.co.uk

비스터 빌리지 Bicester Village

옥스퍼드 북동쪽에 있는 아웃렛으로
130여 개 브랜드가 입점해 있고 할인
율은 40~70&이다. 파스텔톤 동화 속
마을처럼 아웃렛은 입구부터 구찌, 지
방시, 돌체&가바나, 보스, 발리, 아르
마니, 디올, 베르사체, 버버리, 프라다,
테드 베이커 등 명품숍이 즐비하고 유
명 브랜드도 많아 쇼핑하는 데 부족함

이 없다. 쇼핑(£50 이상) 후에는 택스
리펀드 사무실에서 바로 부가세 환급을
받으면 편하다. 런던-옥스퍼드-비스터
빌리지 교통비를 생각하면 명품 정도
구입해야 아웃렛에 온 보람(?)이 있다.
옥스퍼드-비스터 빌리지 순으로 여행
한다면 비스터 빌리지에서 기차로 런던
으로 돌아가는 것이 편하고 빠르다.

교통 : 옥스퍼드 막달렌 스트리트
(Magdalen St.) C4 정류장에서 S5
또는 X5번 버스(30분 간격, 약 30분
소요), 비스터 빌리지 하차 / 런던 메
릴본(Marylebone) 역에서 기차
(Chiltern railways), 수시로, 약 50분
소요. 비스터 빌리지 역 하차.

주소 : Bicester Village, 50 Pingle

Drive, Bicester, Oxfordshire, OX26 6WD

전화 : 01869-366-266

시간 : 월~금 09:00~20:00, 토 ~21:00, 일 19:00

홈페이지 : www.bicestervillage.com

4. 호텔&게스트하우스

01 특급 호텔

리츠 The Ritz London

영화 〈노팅힐〉에서 인기 배우로 나온 안나(줄리아 로버츠)가 머물던 럭셔리 호텔이다. 1906년 스위스인 호텔리어 세자르 리츠가 세웠고 제1차 세계 대전 이후 유명 정치가, 작가 등이 이용하며 유명해졌다. 외관은 파리 건축의 영향을 받은 프랑코-아메리칸 양식으로 고풍스럽고 내부는 화려한 루이 16세 양식으로 꾸며졌다. 지상층 객실은 호텔 건축의 백미로 여겨지고 애프터눈 티를 맛볼 수 있는 야자나무(?)가 있는 팜 코트로 고급스럽다.

교통 : 그린 파크(Green Park) 역에서 도보 1분

주소 : 150 Piccadilly, St. James's, London W1J 9BR

전화 : 020-7493-8181

요금 : 슈페리어 킹/트윈 £525, 이그제규티브 킹/트윈 £620, 디럭스 킹/트윈 £665 내외

홈페이지 : www.theritzlondon.com

소피텔 Sofitel London St James

피카딜리 서커스 인근의 럭셔리 호텔로 1923년에 세워진 건물은 고풍스러움을 자아낸다. 객실은 클래식, 슈페리어, 럭셔리, 주니어 스위트 등으로 다양하나 기본 객실인 클래식도 가격은 500파운드 이상이다. 프렌치 레스토랑인 발콘, 세인트 제임스 바, 쏘 스파(So SPA) 같은 부대시설도 잘되어 있다.

교통 : 차링 크로스 역, 피카딜리 서커스 역에서 도보 6~7분

주소 : 6 Waterloo Pl, St. James's, London SW1Y 4AN

전화 : 020-7747-2200

요금 : 럭셔리 룸 £549, 주니어 스위트 £689, 스위트 £1,069 내외

홈페이지 : https://sofitelstjames.com

사보이 The Savoy

1889년 흥행사이자 작곡가 리처드 도일 카르트(Richard D'Oyly Carte)이 세운 럭셔리 호텔이다. 호텔은 카르트가 세운 사보이 극장 옆에 세워졌는데 이는 그가 제작한 대본가 길버트와 작곡가 설리반의 오페라(오페레타) 성공에 따른 것이었다. 호텔을 다녀간 유명인으로는 오스카 와일드, 찰리 채플린, 베이브 루스, 로렌스 올리비에, 윈스턴 처칠 등이 있다. 지금도 호텔 옆에 사보이 극장을 운영하는데 주로 뮤지컬 작품이 공연된다. 영화 〈노팅힐〉에서는 마지막 인기 배우 안나가 기자회견을 했던 곳이기도 하다.

교통 : 임뱅크먼트 역, 템플 역, 차링 크로스 역에서 도보 7~8분

주소 : Strand, London WC2R 0EZ

전화 : 020-7836-4343

요금 : 디럭스킹 £694, 주니어 스위트 £1,030, 디럭스 주니어 스위트 £1,222 내외

홈페이지 : www.fairmont.com/savoy-london

메리어트 Marriott Hotel Park Lane

마블 아치 역 인근에 있는 럭셔리 호텔이다. 객실은 디럭스, 슈페리어, 이그제규티브, 스위트 등으로 다양하고 이그제규티브 라운지에서 콘티넨털 조식은 물론 애프터눈 티(15:00~17:00), 디너까지 맛보기 좋다.

교통 : 마블 아치(Marble Arch) 역에서 도보 1분

주소 : 140 Park Ln, Mayfair, London W1K 7AA

전화 : 020-7493-7000

요금 : 디럭스 £449, 슈페리어 £499, 이그제규티브 £569 내외

홈페이지 : www.marriott.com

만다린 오리엔탈 Mandarin Oriental Hyde Park, London

1902년 하이드 파크 호텔로 처음 문을 열었고 1996년 만다린 오리엔탈 호텔 그룹에 인수되어 리모델링 후 2000년 만다린 오리엔탈 호텔로 재개관했다. 붉은 벽돌과 포틀랜드 석재를 사용한 에드워드 양식의 건물이 고급스럽고 웅장하다. 로즈버리 라운지에서 애프터눈 티를 맛보기 좋다.

교통 : 나이츠브리지(Knightsbridge) 역에서 도보 1분

주소 : 66 Knightsbridge, London SW1X 7LA

전화 : 020-7235-2000

요금 : 디럭스 £835, 만다린 £935, 투렛 스위트 £1,800, 슈페리어 스위트 £2,040 내외

홈페이지 :
www.mandarinoriental.com/london/hyde-park

포시즌 Four Seasons Hotel London at Ten Trinity Square

런던탑 인근에 있는 럭셔리 호텔로 런던탑, 타워 브리지, 세인트 폴 대성당 등으로 접근하기 편리하다. 객실은 이그제규티브, 디럭스 스위트, 헤리티지 스위트 등 넓고 고급스럽게 꾸며져 있다. 로툰다 라운지에서 애프터눈 티(수~일 14:00~17:00)를 맛보기 좋다.

교통 : 타워 힐(Tower Hill) 역에서 바로

주소 : 10 Trinity Square, London EC3N 4AJ

전화 : 020-3297-9200

요금 : 이그제규티브 £820, 디럭스 스위트 £1,210, 헤리티지 스위트 £1,420 내외

홈페이지 :
www.fourseasons.com/tentrinity

02 비즈니스 호텔

시타딘스 Citadines Trafalgar Square

트라팔가 광장 인근에 있는 아파텔이다. 스튜디오와 아파트 룸에 작은 주방이 있어 간단히 조리를 해먹을 수 있다. 인원이 많은 가족 여행자라면 아파트 룸에서 식사를 해결하는 것도 경비를 절약하는 좋은 방법! 조식은 유료이나 밖에서 블랙 퍼스트를 먹는 것과 비슷하므로 호텔에서 해결하고 나가는 것이 편리.

교통 : 차링 크로스 역, 임뱅크먼트 역에서 도보 3~4분

주소 : 18-21 Northumberland Ave, London WC2N 5EA

전화 : 020-7766-3700

요금 : 스튜디오 £170, 1베드 아파트 £260, 2베트 아파트 £449 내외

홈페이지 : www.citadines.com

세인트 길 런던 호텔 St. Giles London Hotel

토트넘 코트 로드 역 인근에 있어 백화점이 있는 옥스퍼드 거리, 뮤지컬 극장이 있는 소호 지역, 대영 박물관으로 가기 편리하다. 중저가 호텔답게 객실은 별다른 장식 없이 침대, TV, 욕실 등 기본 시설이 잘되어 있다. 조식은 유료이나 뷔페로 제공되므로 먹고 나가는 것이 낫다. 아울러 호텔 투숙객에게 무료 개방되는 런던 최대의 YMCA 피트니스와 수영장을 이용해봐도 괜찮다.

교통 : 토트넘 코트 로드(Tottenham Court Rd.) 역에서 도보 2분

주소 : Bedford Ave, Bloomsbury, London WC1B 3GH

전화 : 020-7300-3000

요금 : 디럭스 트윈 £159, 디럭스 더블 £127, 이그제큐티브 £174 내외

홈페이지 :

www.stgileshotels.com/st-giles-london

레오나르도 부티크 호텔 The Leonard Boutique Hotel

마블 아치 역 인근의 부티크 호텔로 객실이 고전적인 영국 스타일로 장식되어 있어 눈길을 끈다. 객실은 일반실과

아파트 룸으로 구분된다. 호텔 내 시모어 레스토랑 조식을 즐기기 좋고 램 커틀렛, 립아이 스테이크, 피시&칩스 같은 점심과 저녁 메뉴도 가성비가 좋다. 오후 3시~5시 제공되는 애프터눈 티를 맛보아도 좋다.

교통 : 마블 아치(Marble Arch) 역에서 도보 3분
주소 : 15 Seymour St, Marylebone, London W1H 7JW
전화 : 020-7935-2010
요금 : 클래식 더블 £167, 2베드룸 스위트 £648, 싱글 £151 내외
홈페이지 : www.theleonard.com

렘브란트 호텔 The Rembrandt Hotel

사우스 켄싱턴 인근의 고풍스러운 에드워드 양식의 호텔이다. 호텔 건너편에 빅토리아 앨버트 박물관과 자연사 박물관이 있고 박물관 지나면 하이드 파크와 켄싱턴 가든이 나온다. 최고급 백화점인 해러즈로 가기도 편리하다.
교통 : 사우스 켄싱턴(South Kensington) 역에서 도보 5분
주소 : 11 Thurloe Pl, Kensington, London SW7 2RS
전화 : 020-7589-8100
요금 : 클래식 트윈 £159, 이그제규티브 더블/트윈 £175/£191 내외
홈페이지 :
www.sarova-rembrandthotel.com

노보텔 런던 블랙프라이어스 호텔 Novotel London Blackfriars Hotel

템스강 남쪽 서더크 지역에 있는 호텔로 조금 한가한 곳이지만 시내 접근성은 떨어지지 않는다. 도보로 테이트 모던, 로열페스티벌홀로 이동할 수 있고 지하철을 타면 몇 정거장이면 시내에 도착한다.
교통 : 사우스와크(Southwark) 역에서 도보 2분
주소 : 46 Blackfriars Rd, South Bank, London SE1 8NZ
전화 : 020-7660-0834
요금 : 슈페리어 £158, 이그제규티브 £170 내외
홈페이지 : www.accorhotels.com

03 게스트하우스(호스텔)

런던 시내의 게스트하우스는 여행 성수기인 여름철에 매우 인기가 높으므로 6개월 전부터 예약을 하자. 예약은 게스트하우스(호스텔) 홈페이지에서 직접 하거나 호스텔월드(www.hostelworld.com) 같은 예약 사이트를 이용한다. 또 여름철에는 평소보다 약간 요금이 높을 수 있으나 주위 호텔 요금에 비하면 저렴한 편!

와이에이에이 런던 옥스퍼드 스트리트 호스텔 YHA London Oxford Street Hostel

옥스퍼드 서커스 역 인근에 있는 유스호스텔로 도미토리, 더블룸, 패밀리룸 등을 갖추고 있다. 지상층의 바에서 유료로 조식이나 석식을 먹거나 맥주를 맛볼 수도 있고 옥스퍼드 거리, 소호, 레스터 스퀘어로 걸어가기 편리하다. 이곳 외 센트럴(104 Bolsover St.), 세인트 판크라스, 세인트 폴, 엘스코트, 템스사이드점(20 Salter Rd.)도 운영!

교통 : 옥스퍼드 서커스 역, 토트넘 코트 로드 역에서 도보 5~6분

주소 : 14 Noel St, Soho, London W1F 8GJ

전화 : 0345-371-9133

요금 : 도미토리 £25, 더블룸 £99 내외

홈페이지 : www.yha.org.uk

월러스 바&호스텔 The Walrus Bar&Hostel

워털루 역 인근에 있는 호스텔로 24인실, 8인실, 6인실, 4인실 도미토리를 운영한다. 24인실이 가장 싸고 4인실이 가장 비싸나 환기만 잘되면 24인실도 큰 문제가 없다. 밤 10시 경이면 도미토리 조명을 끄기 때문에 잘 사람은 자고 이야기하거나 술 마실 사람은 바로 가면 된다. 조식으로 토스트, 잼, 커피, 차, 피넛버터 등이 무료로 제공된다.

교통 : 램버스 노스(Lambeth North) 역에서 도보 3분, 워털루 역에서 도보7분

주소 : 172 Westminster Bridge Rd, South Bank, London SE1 7RW

전화 : 020-7928-4368

요금 : 도미토리 24인실 £22, 8인실 £23.5, 6인실 £24.5, 4인실 £25.5

홈페이지 :
http://thewalrusbarandhostel.co.uk

세인트 크리스토퍼스 인 빌리지 St. Christopher's Inn Village London Bridge

런던 브리지역 인근의 호스텔로 런던에 8곳이 있고 바스, 파리, 바르셀로나 등에도 지점을 운영한다. 다양한 룸의 도미토리, 2층 침대룸, 더블룸 등을 갖추고 있어 원하는 룸을 선택하면 된다. 지상층과 지하층은 바로 운영되는데 지하층에서 무료 조식이 제공된다.

교통 : 런던 브리지(London Bridge) 역에서 도보 3분

주소 : 165 Borough High St, London SE1 1HR

전화 : 020-7939-9710

요금 : 도미토리 4인~33인실 £23.5~£15.5, 2층 침대룸 £38.5, 더블룸 £48.5 내외

홈페이지 : www.st-christophers.co.uk

도버 캐슬 호스텔 Dover Castle Hostel

1985년 문을 연 전통의 호스텔로 4인실, 6인실, 8인실, 10인실, 12인실 도미토리를 갖추고 있다. 여느 호스텔처럼 바가 있어 무료 조식을 맛볼 수 있고 저녁에 맥주 한 잔을 해도 즐겁다.

교통 : 버러(Borough) 역에서 도보 1분

주소 : 6A Great Dover St, London SE1 4XW

전화 : 020-7403-7773

요금 : 도미토리 12인실~4인실 £15~£21 내외

홈페이지 :
www.dovercastlehostel.com

아스토 뮤지엄 호스텔 Astor Museum Hostel

대영 박물관 옆에 있는 호스텔로 뮤지엄점 외 빅토리아, 하이드 파크, 켄싱턴, 요크 등에도 지점을 운영한다. 4인실~16인실 도미토리, 트윈룸 등을 갖추고 있고 부엌에서 간단한 음식을 해

먹을 수도 있다. 조식은 1파운드 유료지만 무료나 다름없어 아침을 든든히 챙겨 먹고 나갈 수 있어 좋다. 짐은 침대 밑 철망 보관함에 넣는데 노트북, 카메라 등이 보이지 않게 하고 튼튼한 자물쇠로 잠근다. 귀중품은 몸에 지니고 다니는 게 안심!

교통 : 러셀 스퀘어 역, 홀본 역에서 도보 6~7분

주소 : 27 Montague St, Bloomsbury, London WC1B 5BH

전화 : 020-7580-5360

요금 : 도미토리 8~16인실/4~6인실 £15~/£19, 트윈 £75 내외

홈페이지 : https://astorhostels.com

키스톤 하우스 호스텔 Keystone House Hostel

킹스 크로스 역 인근에 있는 호스텔로 4인실~16인실 도미토리, 트윈, 더블룸 등을 갖추고 있다. 토스트, 잼, 주스, 커피 등이 나오는 무료 조식이 제공된다.

교통 : 킹스 크로스(King's Cross) 역에서 도보 3분

주소 : 272-276 Pentonville Rd, Kings Cross, London N1 9JY

전화 : 020-7837-6444

요금 : 도미토리 4인실~16인실 £25~ 내외

홈페이지 : www.keystone-house.com

5. 여행 정보

01 여권

해외여행은 해외에서 신분증 역할을 하는 여권(Passport) 만들기부터 시작한다. 여권은 신청서, 신분증, 여권 사진 2장, 여권 발급 비용 등을 준비해 서울시 25개 구청 또는 지방 시청과 도청 여권과에 신청하면 발급받을 수 있다. 여권의 종류는 10년 복수 여권, 5년 복수 여권, 1년 단수 여권(1회 사용) 등으로 나뉜다. 보통 전자 칩이 내장된 전자 여권으로 발급되고 일부 단수 여권은 비전자 여권으로도 발급된다.

여권_www.passport.go.kr

준비물_신청서(여권과 비치), 신분증(주민등록증, 운전면허증 등), 여권 사진 2매, 발급 수수료(10년 복수 여권 5만 3천 원/5년 복수 여권 4만 5천 원/1년 단수 여권 2만 원)

※25세 이상 병역 의무자_국외여행 허

가서(병무청 또는 병무청 홈페이지)

주의 사항_여권과 신용카드, 항공권 구매 등에 사용하는 영문 이름이 같아야 함. / 여권과 항공권 구매 영문 이름이 다르면 항공기 탑승 어려움. / 여권 유효 기간이 6개월 이내일 경우 외국 출입국 시 문제가 생길 수 있으므로 연장 신청.

비자_비자(VISA)는 사증이라고도 하며 일종의 입국 허가서이다. 영국은 관광 목적의 한국인 **6개월 무비자 입국 가** 능. 단, 입국 심사 시 여행목적, 왕복 항공권, 숙소, 신용카드 또는 적정 금액의 현금 보유 여부 등에 관해 물을 수 있으니 간단한 영어로 대답! 유학이나 사업차 방문 시 주한국 영국 대사관에서 해당 비자 발급 후 입국.

주한국 영국 대사관
주소 : 서울 중구 세종대로19길 24
전화 : 02-3210-5500
시간 : 월~금 9~12시, 14~16시
홈페이지 :
www.gov.uk/world/south-korea

02 항공권

인천에서 런던 히스로공항까지 대한항공, 아시아나항공, 영국항공 같은 직항편, 말레이시아항공, 에티하드항공, 캐세이퍼시픽, 에미레이트항공 같은 경유편이 운항한다. 히스로공항 외 개트윅 공항, 런던시티 공항 등으로 가는 경유편이 있으나 경유 횟수가 많거나 시간이 오래 걸리니 참고!
항공권 가격은 국내 항공사보다 일부 외국 항공사가 조금 싸고 직항편보다 경유 편이 조금 저렴하다. 런던행은 장거리 구간이어서 요금이 싼 저가 항공사(LCC, Low Cost Carrier)는 운항하지 않는다. 단기 여행이면 단체 항공권 중 일부 빈 좌석이 나오는 땡처리 항공권(출국과 귀국 일자, 체류 기간 변경 및 환불 불가), 장기 여행이면 오픈마켓이나 항공사 또는 여행사 홈페이지를 이용한다. 인터넷에 익숙하지 않다면 여행사 사무실을 방문해도 괜찮다.

대한항공 https://kr.koreanair.com
아시아나항공 http://flyasiana.com
영국항공 www.britishairways.com
인터파크 http://tour.interpark.com
하나투어 www.hanatour.com
모두투어 www.modetour.com

03 숙소 예약

숙소는 가격에 따라 특급 호텔, 비즈니스(중급) 호텔, 저가 호텔 또는 게스트하우스(호스텔) 등으로 나눌 수 있다. 신혼여행이나 가족 여행이라면 특급 호텔이나 중급 호텔, 개인 여행이나 배낭여행이라면 저가 호텔이나 게스트하우스를 이용한다. 숙소 예약은 특급·중가·저가 호텔은 여행사, 아고다와 호텔닷컴 같은 호텔 예약 사이트를 통하는 것이 할인되고 게스트하우스는 호스텔월드 같은 호스텔 예약 사이트를 통해 예약한다. 호텔 가격은 여름방학과 연말 같은 여행 성수기에 비싸고, 봄과 가을 같은 비수기에는 조금 싸다.

아고다　www.agoda.com
호텔닷컴　www.hotels.com
트립어드바이저　www.tripadvisor.co.kr
호스텔월드　www.hostelworld.com
호스텔닷컴　www.hostels.com

04 여행 예산

여행 경비는 크게 항공비, 숙박비, 식비, 교통비, 기타(입장료, 잡비) 등으로 나눌 수 있다. 항공비는 일부 외국 항공사 경유 편 기준으로 85만 원 내외. 숙박비는 특급 호텔 63만 원(£400) 내외, 중가 호텔 24만 원(£150) 내외, 저가호텔 7만 9천 원(£50) 내외. 식비는 1끼에 1만 9천 원(£12), 교통비는 2만 원(£13, 지하철 1~2존 2회)+6만 3천 원(£40, 근교 1회), 기타(입장료, 잡비) 4만 8천 원(£30) 정도로 잡는다. 여기에 뮤지컬, 축구 등을 관람하고 근교를 더 가면 예산이 늘어난다. ※1£ ≒ 1,600원 기준

※런던 외곽 싼 숙소 잡으면 교통비 많이 나오므로 가급적 1~2존 내로.

2박 3일 예상경비 : 항공비(경유) 850,000원+숙박비(저가호텔) 158,000원+식비 171,000원+교통비 123,000원+기타 144,000원. 총합 _1,446,000원

3박 4일 예상경비 : 항공비(경유) 850,000원+숙박비(저가호텔) 237,000원+식비 228,000원+교통비 143,000원+기타 192,000원. 총합 _1,650,000원

☆여행 팁_해외여행자 보험

해외여행 시 상해나 기타 사고를 당했을 때 보상받을 수 있도록 미리 해외여행자 보험에 가입해 두자. 해외여행자 보험은 보험사 사이트에서 가입할 수 있다. 출국 날까지 가입을 하지 못했다면 인천 국제공항의 보험사 데스크에서 가입해도 된다. 보험 비용(기본형)은 런던 3박 4일 1~2만 원 내외. 분실·도난 시 일부 보상을 위해 보험 가입할 때 카메라나 노트북 등은 모델명까지 구체적으로 적는다. 여행 중 패러세일링, 스카이다이빙, 스쿠터 운전 등으로 인한 사고는 보상하지 않으니 약관을 잘 읽어보자.

현대해상 : www.hi.co.kr, 삼성화재 : www.samsungfire.com

05 여행 준비물 체크

여행 가방은 가볍게 싸는 것이 제일 좋다. 우선 갈아입을 여분의 상의와 하의, 속옷, 세면도구, 노트북 또는 태블릿PC, 카메라, 간단한 화장품, 모자, 우산, 자외선차단제(선크림), 각종 충전기, 멀티콘센트(런던 3구 콘센트), 들고 다닐 백팩이나 가방, 여행 가이드북 등을 준비하자. 그 밖의 필요한 것은 현지에서 사도 충분하다. 런던은 12~2월은 바람 불고 쌀쌀하므로 패딩, 9~11월은 비가 종종 오므로 우산 준비!

내용물	확인
비상금(총 경비의 10~15%)	
여분의 상하의	
반바지, 수영복	
재킷	
속옷	
모자, 팔 토시	
양말	
손수건	
여권 복사본과 여분의 여권 사진	
노트북 또는 태블릿	
카메라	
각종 충전기	

멀티콘센트	
세면도구(샴푸, 비누, 칫솔, 치약)	
자외선차단제(선크림)	
수건	
생리용품	
들고 다닐 백팩이나 가방	
우산	
휴대용 선풍기	
스마트폰 방수 비닐케이스	
여행 가이드북	
일기장, 메모장	
필기구	
비상 약품(소화제, 지사제 등)	

06 출국과 입국

- 한국 출국

1) 인천 국제공항 도착

공항철도, 공항 리무진을 이용해 인천 국제공항에 도착한다. 2018년 1월 18일부터 **제1 여객터미널**과 **제2 여객터미널(대한항공, 에어프랑스, 델타항공, 네덜란드 KLM)로 분리, 운영**되므로 사전에 탑승 항공사 확인이 필요하다. 여객터미널의 출국장에 들어서면 먼저 항공사 체크인 카운터 게시판을 보고 해당 항공사 체크인 카운터로 향한다. ※ 체크인 수속과 출국 심사 시간을 고려하여 2~3시간 전 공항에 도착.

교통 : ① 공항철도 서울역, 지하철 2호선/공항철도 홍대입구역, 지하철 5 · 9호선/공항철도 김포공항역 등에서 공항철도 이용, 인천 국제공항 하차(김포에서 인천까지 약 30분 소요)

② 서울 시내에서 공항 리무진 버스 이용(1~2시간 소요)

③ 서울 시내에서 승용차 이용(1~2시간 소요)

2) 체크인 Check In

항공사 체크인 카운터에 전자 항공권(프린트)을 제시하고 좌석 표시가 된

탑승권을 받는 것을 체크인이라고 한다. 체크인을 하기 전, 기내반입 수하물(손가방, 작은 배낭 등)을 확인하여 액체류, 칼 같은 기내반입 금지 물품이 있는지 확인하고 기내반입 금지 물품이 있다면 안전하게 포장해 탁송 수하물 속에 넣는다.

※스마트폰 보조 배터리, 기타 배터리는 기내반입 수하물 속에 넣어야 함.

기내반입 수하물과 탁송 화물 확인을 마치면 탑승 체크인 카운터로 가서 전자 항공권과 여권을 제시한다. 이때 원하는 좌석이 통로 쪽 좌석(Aisle Seat), 창쪽 좌석(Window Seat)인지, 항공기의 앞쪽(Front), 뒤쪽(Back), 중간(Middle)인지 요청할 수 있다. 좌석이 배정되었으면 탁송 수하물을 저울에 올려놓고 수하물 태그(Claim Tag)를 받는다(대개 탑승권 뒤쪽에 붙여 주는데 이는 수하물 분실 시 찾는 데 도움이 되니 분실하지 않도록 한다.).

※셀프 체크인 기기 이용 시 단말기 안내에 따라 이용하면 되고 이용법을 모르면 항공사 직원의 도움을 받는다. 순서_체크인 등록→탑승권 발행→탁송 수하물 계량, 발송

기타 할 일 :
· 만 25세 이상 병역 의무자는 병무청 방문 또는 홈페이지(www.mma.go.kr)에서 국외여행허가서 신청, 발급, 1~2일 소요!
· 출국장 내 은행에서 환전, 출국 심사장 안에 은행 없음.
· 해외여행자 보험 미가입 시, 보험사 데스크에서 가입
· 스마트폰 로밍하려면 통신사 로밍 데스크에서 로밍 신청
· 기타 필요한 여행용품이 있다면 상점에서 구입(단, 기내반입 가능한지, 가능하지 않은지 확인! 가능하지 않으면 체크인 전 탁송 수하물에 넣음)

3) 출국 심사 Immigration

출국 심사장 입구에서 탑승권과 여권을 제시하고 안으로 들어가면 세관 신고소가 나온다. 골프채, 노트북, 카메라 등 고가품이 있다면 세관 신고하고 출국해야 귀국 시 불이익을 받지 않는다.

세관 신고할 것이 없으면 보안 검사대로 향한다. 수하물을 X-Ray 검사대에 통과시키고 보안 검사를 받는다(기내반입 금지 물품이 나오면 쓰레기통에 버림). 보안 검사 후 출국 심사장으로 향하는데 한국 사람은 내국인 심사대로 간다.

※자동출입국심사 등록 센터(제1 여객터미널 경우, F 체크인 카운터 뒤. 07:00~19:00)에서 자동출입국심사 등

록을 해두면 간편한 자동출입국심사대 이용 가능!

4) 항공기 탑승 Boarding

출국 심사를 마친 후, 탑승권에 표시된 탑승 시간과 게이트 번호 등을 확인한다. 인천 국제공항 제1 여객터미널의 경우 1~50번 탑승 게이트는 본관, 101~132번 탑승 게이트는 별관에서 탑승한다. 본관과 별관 간 이동은 무인전차 이용! 제2여객터미널의 경우 해당 탑승 게이트를 사용한다. 탑승 시간 여유가 있다면 면세점을 둘러보거나 휴게실에서 휴식을 취한다.

항공기 탑승 대략 30분 전에 시작하므로 미리 탑승 게이트로 가서 대기한다. 탑승은 대개 비즈니스석, 노약자부터 시작하고 이코노미는 그 뒤에 시작한다. 탑승하면 항공기 입구에 놓인 신문이나 잡지를 챙기고 승무원의 안내에 따라 본인의 좌석을 찾아 앉는다. 기내 반입 수하물은 캐빈에 잘 넣어둔다.

기내에서 영국 입국카드(Landing Card)를 받아 미리 작성해 둔다. 입국카드는 빈칸 없이 작성하고 특히 직업(회사원 Office worker, 주부 Housewife 등)과 호텔 주소(숙소 예약하지 않았다면 가이드북의 호텔 주소 적음) 등은 꼭 적는다.

- 영국 입국

1) 히스로 국제공항 도착

런던 히스로 국제공항에 도착하기 전, 영국은 4월~10월 서머타임 시 한국보다 -8시간 시차가 있으므로 도착 후 시계를 8시간 뒤로 조정한다(11~3월 서머타임 해제 시 -9시간 차이).

항공기가 히스로 국제공항에 도착하면 신속히 입국 심사장으로 이동한다. 이동 중 검역을 위한 적외선 체온감지기를 통과하는 때도 있는데 만약 체온이 고온으로 체크되면 검역관의 지시를 따른다.

2) 입국 심사 Immigration

입국 심사장에서 한국인은 '어더스(Others)' 심사대에 줄을 서고 여권과 입국카드를 준비한다. 입국 심사관이 여행 목적(Travel, Tour), 여행 일수 (1week, 1month), 직업(Office worker, Housewife), 호텔, 신용카드와 현금 보유 여부 등을 물을 수 있으나 간단한 영어(단어만 말해도 됨)로 대답하면 된다. 입국 허가가 떨어지면 여권에 비자 스탬프를 찍어준다.

3) 수하물&세관 Baggage Reclaim& Custom

입국 심사가 끝나면 수하물 게시판에서 항공편에 맞는 수하물 수취대 번호(대개 숫자 순)를 확인하고 수하물 수취대(Baggage Reclaim)로 이동한다. 수하물 수취대에서 대기하다가 자신의 수하물을 찾는다. 비슷한 가방이 있을 수 있으므로 헷갈리지 않도록 한다(미리 가방에 리본이나 손수건을 매어 놓으면 찾기 편함.).

수하물 분실 시 분실물센터(Baggage Enquiry Desk)로 가서, 수하물 태그(Claim Tag)와 탑승권을 제시하고 분실신고서를 작성한다. 짐을 찾으면 숙소로 무료로 전달해주거나 연락해 주고 짐을 찾지 못하면 분실신고서 사본을 보관했다가 귀국 후 해외여행자보험에 보상 처리가 되는지 문의한다.

수하물 수취대에서 수하물을 찾은 뒤 세관을 통과하는데 고가 물건, 세관 신고 물품이 있으면 신고한다. 대개 그냥 통과되지만, 간혹 불시에 세관원이 가방이 배낭을 열고 검사하기도 한다. ※ 위험물, 식물, 육류 등 반입 금지 물품이 있으면 폐기되고, 면세 범위 이상의 물품이 있을 때는 세금을 물어야 한다.

영국 면세 한도는 £390(약 56만 원). 주류 알콜도수 22% 초과 1ℓ 또는 22% 이하 2ℓ, 담배 1보루(200개피), £10,000 이상 신고.

4) 입국장 Arriving Hall

히스로 국제공항 입국장은 항상 사람들로 붐비니 차분히 행동한다. 입국장에서 유심을 구매할 사람은 유심 자판기나 통신사 매장으로 간다. 유심 자판기에서 유심을 구매, 장착하는 것이 편리, 런던 시내에서는 통신사 매장을 찾아가야 한다. 입국장에서 용무를 마친 뒤 입국장의 안내판을 보고 공항철도 · 지하철 · 공항버스 · 택시 승차장으로 이동한다.

5) 공항철도 · 지하철 · 공항버스 · 택시 탑승

직행인 히스로 익스프레스와 완행인 크로스레일의 엘리자베스선 기차(패딩턴역 도착), 지하철(언더그라운드), 공항버스(빅토리아 코치스테이션 도착), 택시 등을 이용해 런던 시내까지 이동한다. 15분~50분 소요

- 영국 출국

1) 히스로 국제공항 도착

히스로 국제공항은 1~5 터미널이 있으므로 사전에 탑승할 항공사의 터미널을 확인한다(아시아나 2 터미널, 대한항공 4 터미널, 영국항공 5 터미널). 히스로 국제공항이 세계에서 가장 붐비는 공항 중 하나이고 항공사 체크인과 출국 심사 등에 걸리는 시간을 고려해 2~3시간 전에 도착한다. 공항에서 택스리펀드를 받을 사람은 더 일찍 올 것!
히스로 국제공항에 도착하면 체크인 카운터 게시판에서 항공편에 따른 체크인 카운터 위치를 확인, 이동한다.

2) 체크인 Check In

체크인을 하기 전, 기내반입 수하물을 확인하여 액체류, 칼 같은 기내반입 금지 물품이 없는지 확인하고 있다면 안전하게 포장해 탁송 수하물 속에 넣는다.
※보조 배터리, 기타 배터리는 기내반입 수하물에 넣어야 함.

수하물 확인을 끝냈으면 체크인 카운터로 가서 전자 항공권과 여권을 제시한다. 좌석이 배정되었으면 탁송 수하물을 저울에 올려놓고 화물 태그(Claim Tag)를 받는다.

※셀프 체크인 기기 이용 시 단말기 안내에 따라 이용하면 되고 이용법을 모르면 항공사 직원의 도움을 받는다. 순서_체크인 등록→탑승권 발행→탁송 수하물 계량, 발송

기타 할 일 :
· 스마트폰의 유심을 제거하고 원래 유심을 넣는다.
· 남은 파운드로 기념품이나 사탕, 껌 등 주전부리를 산다.

3) 출국 심사 Immigration

출국 심사 전, 기내반입 수하물을 X-Ray 검사대에 통과시키고 보안 검사를 받는다(기내반입 금지 물품이 나오면 쓰레기통에 버림). 보안 검사 후 출국 심사장으로 향하는데 한국인은 '어더스(Others)' 심사대로 간다.
출국 심사대에 여권을 제시하고 출국 심사를 받는다. 대개 출국 스탬프 찍어주고 통과!

4) 면세쇼핑 Duty Free Shopping

탑승 게시판에서 탑승 게이트 번호와 탑승 시간을 확인한다. 면세점을 둘러보고 필요한 물품을 쇼핑한다.

한국의 면세 한도는 US$ 800, 주류 1리터(2병), 담배 200개비(10갑), 향수 60ml(주류와 담배, 향수 가격은 포함되지 않음). 위험물, 육류, 식물 등은 가져올 수 없음.

5) 항공기 탑승 Boarding

면세점 쇼핑을 마치고 탑승 게이트로 이동한다. 항공기 탑승은 대략 출발시간 30분 전에 시작하고 게이트가 먼 곳도 있어 미리 탑승 게이트로 가서 대기한다. 탑승은 비즈니스석, 노약자부터 시작하고 이코노미는 그 뒤에 시작한다. 탑승 시 승무원의 안내에 따라 본인의 좌석을 찾아 앉는다. 기내반입 수하물은 캐빈에 잘 넣어둔다.

☆여행 팁_여행 사건 · 사고 대처 방법

〈여권 분실&도난〉

런던 여행 시 여권을 분실 또는 도난당하면 한국으로 귀국할 때 문제가 되니 난감해진다. 이럴 때 침착하게 행동하는 것이 우선이다. 보통 지갑이나 가방 채로 분실 · 도난을 당하게 되므로 가까운 경찰서를 찾아가 분실 또는 도난 신고를 하고 분실(도난) 증명서(Police Report)를 발급받는다. 분실 증명서는 나중에 여행자보험에 분실 · 도난 물품 보상받을 때 제출한다.

여권은 주영 대한민국 대사관에서 재발급받을 수 있다. 절차는 ① 여권 사진 2매, 신분증(주민등록증, 운전면허증, 여권사본) 준비, ② 주영 대한민국 대사관 방문, ③ 여권 (재)발급 신청서, 각서, 여권 재발급 사유서, 여권 분실 신고서 작성 및 신청(수수료 £11.5), ④ 여행증명서 또는 단수 여권 발행

주영 대한민국 대사관

교통 : 세인트 제임스 파크(St. James's Park) 역에서 버킹엄 게이트 거리 방향. 도보 4분

주소 : 60 Buckingham Gate, London SW1E 6AJ

시간 : 영사민원실_월~금 09:00~12:00, 14:00~16:00

전화 : 대표_+44-020-7227-5500, 긴급_+44-20-7227-5500(근무시간),

+44-78-7650-6895(근무시간 외) ※영국 내 전화 시 44 뺌.
홈페이지 : https://overseas.mofa.go.kr/gb-ko/index.do

〈신용카드 분실〉

해외에서 현금 분실·도난보다 아찔한 것이 신용카드 분실·도난이다. 현금 분실이면 신용카드로 현금을 찾아 여행을 계속할 수 있지만, 신용카드를 분실하면 현금 보유액에 따라 여행을 중지해야 하는 일이 벌어질 수 있다. 신용카드는 복대, 지갑 등에 안전하게 보관하고 꼭 필요할 때 외에는 꺼내지 않는다. 호텔이나 대형 쇼핑몰이 아닌 재래시장(마켓) 주변이나 변두리 주점 등에서는 카드 복제가 일어날 수 있으니 결제 시 반드시 지켜본다. 아울러 만일을 대비해 비상용 신용카드를 안전한 곳에 보관하는 것이 좋다.

신용카드를 분실·도난당했을 때 즉각 해당 신용 카드사에 연락해 거래 중지시킨다. 사전에 신용카드 신고 번호를 메모해 두는 것이 좋다. 신용카드 분실 신고 전화는 에이알에스(ARS)인 경우가 많아 번호키를 눌러야 하는데 일부 기계식 공중전화는 번호키가 눌러지지 않으므로 스마트폰을 사용한다. 스마트폰까지 분실했거나 주위에 전화가 없는 경우 경찰이나 호텔에 도움을 청한다.

〈지갑 분실〉

해외에서 지갑을 분실·도난당하면 큰 어려움에 빠질 수 있다. 먼저 지갑 속에 현금, 신분증, 신용카드 외 어떤 것이 있는지 확인한다. 현금의 경우 분실액이 어느 정도인지, 비상금이 어느 정도인지 파악한다. 비상금이 없거나 적을 때 외교통상부 영사콜센터에서 운영하는 신속해외송금제도(1회 3,000 USD)를 이용할 수 있다.

영사 콜센터_신속해외송금제도

재외공관(대사관 혹은 총영사관)이나 영사콜센터를 통해 신속해외송금 지원제도 신청→국내 지인이 외교부 계좌로 수수료를 포함한 원화 입금→재외공관(대사관 혹은 총영사관)에서 여행자에게 현지화로 긴급경비 전달→협력 은행과 국내 연고자의 사후정산(외화 송금에 따른 수수료). 영사콜센터_www.0404.go.kr

〈항공권 분실〉

요즘 항공권은 프린트해서 쓰는 전자 항공권이므로 항공권 구매 후 여분의 전자 항공권을 프린트해 분산 보관한다. 전자 항공권을 자신의 메일이나 스마트폰으로 옮겨 두어도 괜찮다. 전자 항공권 분실 시 여분의 전자 항공권을 이용하면 되고 프린트해둔 것이 없으면 다시 구입처 홈페이지에서 프린트(호텔 비즈니스센터, 인터넷 카페 이용)하면 된다. 출국 당일, 공항의 항공사 체크인 카운터에 전자 항공권을 제시해 탑승권으로 교환한다. 만약 현지에서 항공권을 다시 사야 한다면 인터넷 여행 사이트나 각 항공사 사이트를 이용한다.

〈스마트폰&카메라&캐리어 분실〉

해외에서 가장 많이 분실 · 도난당하는 것 중 하나가 스마트폰과 카메라다. 스마트폰과 카메라 외 캐리어나 배낭을 통째로 분실하거나 도난당하는 수도 있다. 이럴 때 침착하게 상황을 파악하고 가까운 경찰서로 가서 분실 · 도난 신고 후 분실(도난) 증명서(Police Report)를 발급받는다. 귀국 후 해외여행자 보험사에 분실(도난) 증명서를 제출하고 보상받을 수 있는지 문의한다. 분실(도난) 증명서 발급 시 스마트폰이나 카메라 등의 자세한 모델명을 적어야 보험 보상을 받을 때 도움이 된다.

〈건강 이상〉

해외여행 중 건강 이상이 느껴질 때 그 상태를 심각 · 우려 · 경미로 나누어 대처한다. 여행 피로, 타박상 등 건강 상태가 '경미'할 때는 여행을 중단하고 하루 이틀 숙소에서 푹 쉰다. 건강을 회복할 음식을 섭취하고 상처 부위에 밴드나 파스 등을 붙인다. 감기몸살, 설사 등 건강 상태가 '우려'일 때 준비한 비상약을 복용하거나 약이 없으면 가까운 약국, 와슨즈 같은 곳에서 필요한 약을 구매, 복용한다. 약을 먹고 차도가 없거나 급성 복통이나 골절 등 건강 상태가 '심각'일 때는 가까운 병원에 가거나 호텔 직원에게 도움을 청해 구급차를 부른다. 병원에서 치료를 받고 진단서와 계산서 등을 받아두면 나중에 해외여행자보험에서 치료비를 받을 수 있다. 건강 상태가 심각일 때 병원 치료로 조기에 회복되지 않는다면 여행을 중단하는 것이 바람직하다.

작가의 말

〈온리 런던〉는 국회의사당, 빅벤, 대영 박물관, 내셔널 갤러리, 세인트 폴 대성당, 런던탑, 타워브리지 등 런던 시내와 그리니치, 리치몬드 어펀 템스, 윈저, 케임브리지, 옥스퍼드 등 런던 근교를 소개하고 있습니다.

런던 시내의 주요 관광지는 1~2존에 몰려 있어 지하철 타고 시내에 내려, 도보로 다니기 편리합니다. 런던 시내에서 조금 떨어진 곳도 대부분 지하철로 갈 수 있습니다. 런던에서 이층버스가 흥미롭지만, 이층버스를 탈 일은 거의 없습니다. 윈저, 케임브리지, 옥스퍼드 같은 런던 근교는 시외버스와 기차로 갈 수 있는데 시외버스가 조금 저렴하고 시내 중심까지 데려다주어 편리합니다. 간혹 시외버스보다 기차가 편리한 곳이 있는데 기차 타는 것도 어렵지 않습니다.

런던 여행에서 뮤지컬 관람을 빼놓을 수 없습니다. 보고 싶은 뮤지컬이 있다면 한국에서 뮤지컬 극장 또는 TKTS(티켓종합판매소) 홈페이지에서 예매해도 좋습니다. 아니면 현지 뮤지컬 극장에서 반환표나 할인 티켓 판매소에서 할인 티켓을 살 수도 있습니다. 아울러 한겨울 외 봄부터 가을까지 인기 관광지는 찾는 사람이 많아 미리 홈페이지에서 예매해야 제 시간에 입장할 수 있으니 참고!

끝으로 이 원고를 저술하며 취재를 기반을 두었으나 영국과 런던 관련 서적, 인터넷 자료, 관광 홈페이지 등도 참고하였음을 밝힙니다.

재미리